MAP OF PRE-SPANISH

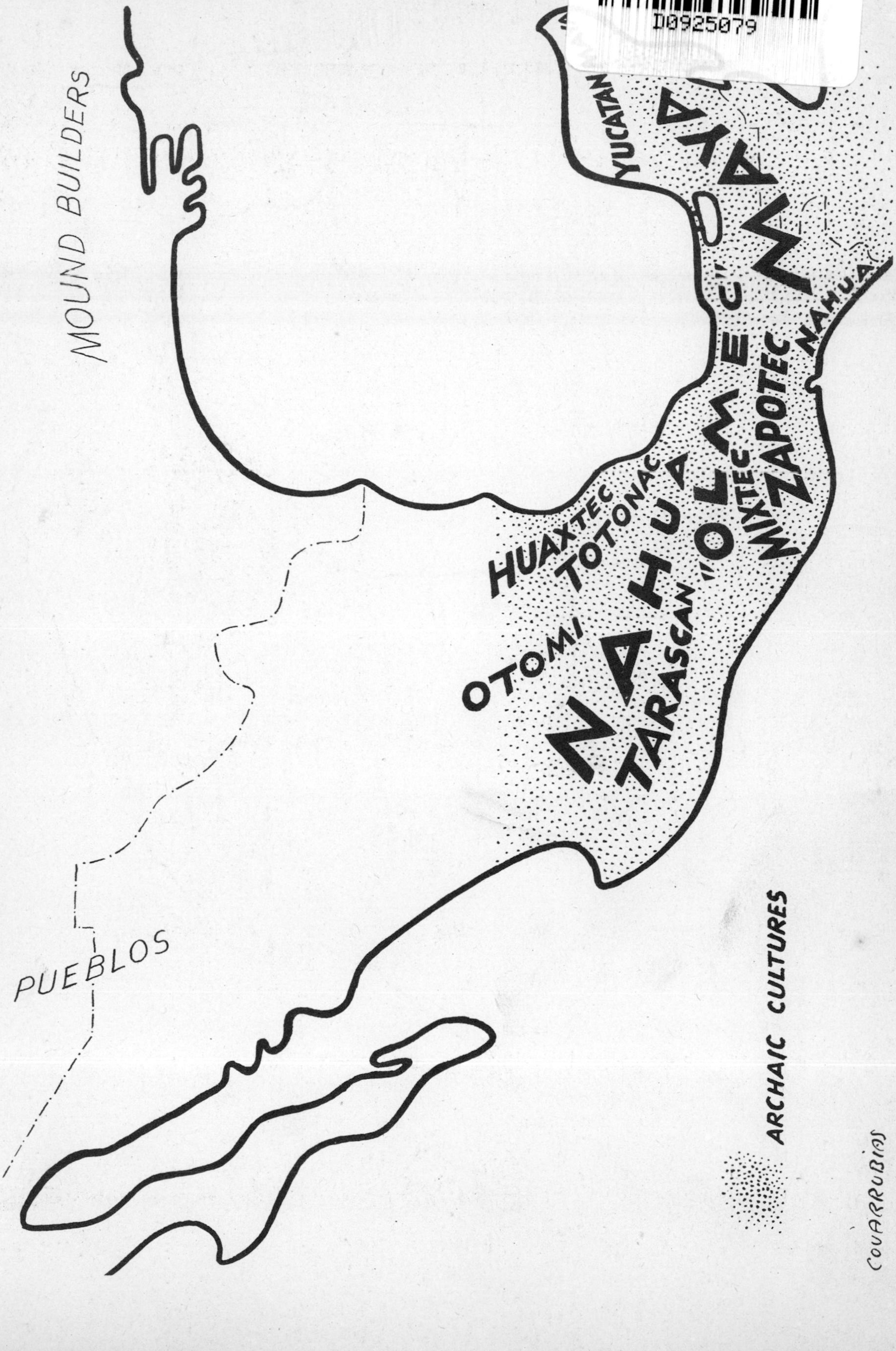

MOUND BUILDERS
YUCATAN
MAYA
NAHUA
"OLMEC"
ZAPOTEC
MIXTEC
HUAXTEC
TOTONAC
NAHUA
TARASCAN
OTOMI
PUEBLOS
ARCHAIC CULTURES
COVARRUBIAS

CORRECTIONS

The reader's indulgence is requested for errors attendant upon the hurried printing of the book in Mexico by printers unfamiliar with English.

Page 12, col. 2, top line of Spanish section:
For **XVI** read **XVII.**

Page 17, column 2, line 7:
For **monumentality**
read **the monumental.**

Page 25, column 1, line 3:
For **of** read **or.**

Page 25, column 2, line 30:
For **jewerly** read **jewelry.**

Page 37, line 2:
For **an** read **on.**

Page 67, column 2, line 6 (from bottom):
For **sixteen** read **sixteenth.**

Page 68, column 2, line 1:
For **many win** read **win many.**

Page 70, column 2, line 7 (from bottom):
For **If,** read **If it.**

Page 91, line 1:
Insert **(detail)** after title.

Page 92, line 1:
For **Camerin** read **Camarin.**
For **oent** read **cent.**

Page 100, line 1:
For **CHRIST IN MAJESTY** read
          RELIEF IN WOOD

Page 101, line 1:
For **XVIII** read **XVII.**

Page 104, line 4:
For **Comosptela** read **Compostela.**

Page 105, line 1:
For **Catheral** read **Cathedral.**

Page 120, line 2:
For **Mexiccn** read **Mexican.**
For **artifices** read **artisans.**

Page 124, line 3:
For **are** read **is.**

Page 131, line 3:
For missing word near end of line read **ware.**

Page 133, line 1:
For **(a)** read **101.** For **(b)** read **100.**

Page 136, line 2:
For **objet** read **object.**

Page 138, column 1, line 36:
For **Orozo** read **Orozco.**
Line 3 (from bottom). For **prowerful** read **powerful.**

Page 140, column 2, line 13 (from bottom):
For **middly** read **mildly.**
Line 7 (from bottom): for **carcers** read **careers.**

Page 155, line 2:
For **reflecting** read **reflect.**

Page 164, line 2:
For **Siquerios** read **Siqueiros.**

Page 176, line 1:
For **Clamente** read **Clemente.**

Page 197, column 1, after first group:
Before **General Sources** insert **"Colonial Art."**
Before **Fuentes Generales** insert **"Arta Colonial."**

Page 198, column 2, line 17:
Item 52 should be below the heading **Modern Art.**

TWENTY CENTURIES OF MEXICAN ART

[signature] #5

VEINTE SIGLOS DE ARTE MEXICANO

VEINTE

SIGLOS

DE

ARTE

MEXICANO

EL MUSEO DE ARTE MODERNO DE NUEVA YORK
EN COLABORACION CON EL GOBIERNO MEXICANO

TWENTY CENTURIES OF MEXICAN ART

THE MUSEUM OF MODERN ART, NEW YORK
IN COLLABORATION WITH THE MEXICAN GOVERNMENT

This illustrated book is based upon a limited selection of objects in the exhibition. A complete check-list of all items displayed may be obtained from The Museum of Modern Art, 11 West 53rd Street, New York, for twenty-five cents.

Las obras ilustradas en este catálogo son nada más una pequeña parte de la exposición. Una lista de todas las obras exhibidas puede adquirirse en el Museo de Arte Moderno, 11 West 53rd Street, Nueva York, al precio de cincuenta centavos de dollar.

CONTENTS
INDICE

COMMITTEES · ACKNOWLEDGMENTS
COMITES · RECONOCIMIENTOS

The President and Trustees of The Museum of Modern Art extend their gratitude to His Excellency Sr. General Lázaro Cárdenas, President of The United States of Mexico, whose interest and invaluable cooperation have made it possible to assemble the most extensive exhibition of Mexican Art ever to be undertaken.

El Presidente y los Síndicos del Museo de Arte Moderno desean expresar su gratitud al Señor General don Lázaro Cárdenas, Presidente de los Estados Unidos Mexicanos, a cuyo interés y valiosa cooperación deben el haber podido organizar la exposición más completa de arte mexicano que se haya presentado nunca.

HONORARY COMMITTEE: His Excellency Dr. Francisco Castillo Nájera, Mexican Ambassador to the United States. The Honorable Josephus Daniels, United States Ambassador to Mexico.

EXECUTIVE COMMITTEE: His Excellency General e Ing. Eduardo Hay, Secretary of Foreign Affairs of the United States of Mexico; Mr. John E. Abbott, Executive Vice-President of The Museum of Modern Art.

ORGANIZING COMMITTEE: Dr. Alfonso Caso, Chairman; Sr. Pablo Martínez del Río, General Secretary; Sr. Lic. Alfonso Ortega Martínez, Assistant Secretary; Sr. Luis G. Inzunza, Treasurer; Dr. Alfonso Caso, Director of the Pre-Spanish Section; Sr. Salvador Mateos and Sr. Vladimiro Rosado Ojeda, Assistants; Prof. Manuel Toussaint, Director of the Colonial Sec-

tion; Sr. Justino Fernández, Assistant; Sr. Roberto Montenegro, Director of the Folk Art Section; Sr. Federico Hernández Serrano and Sr. Mario Alonso, Assistants; Sr. Miguel Covarrubias, Director of the Modern Section; Sr. Gabriel Fernández Ledesma, Assistant; Mr. John McAndrew, Director of Installation; Sr. Luis Limón, Photographer. PUBLICATION COMMITTEE: Sr. Francisco Orozco Muñoz, Sr. Francisco Díaz de León, Mr. Monroe Wheeler.

ACKNOWLEDGMENTS: The Executive Committee desires to thank the following persons who have generously rendered assistance in the preparation of this exhibition: Sr. Lic. Ramón Beteta, Mexican Under-Secretary of Foreign Affairs; Sr. Lic. Antonio Castro Leal; Dr. George C. Vaillant, of the American Museum of Natural History, New York; Sr. Wenceslao Labra, Governor of the State of Mexico; Sr. Alfonso Vázquez Vergara; Sr. Adolfo Best Maugard; Mr. Pierre de L. Boal;

Mr. Walter Douglas; Srita. Inés Amor; Mrs. Lewis Riley; Sr. Alberto Misrachi; Sr. Federico Sánchez Fogarty; Sr. Luis Márquez; Mr. George Lusk; Mr. Stanton Loomis Catlin.

LENDERS TO THE EXHIBITION

Mr. John E. Abbott, Sr. Mario Alonso, Sr. Manuel Alvarez Bravo, Sr. Emilio Amero, Srita. Inés Amor, Sr. Ignacio Asúnsolo, Sra. María Asúnsolo, Sr. Adolfo Best Maugard, Sr. Carlos Bracho, Sr. Julio Castellanos, Mr. Stephen C. Clark, Sr. Miguel Covarrubias, Sr. Germán Cueto, Sr. Francisco Díaz de León, Sra. Dolores del Río, Sr. Gabriel Fernández Ledesma, Mr. Gunther Gerzso, Sr. Federico Gómez de Orozco, Sr. Francisco Gutiérrez, Sra. María Izquierdo, Sra. Frida Kahlo, Sr. Agustín Lazo, Sr. Fernando Leal, Sr. Mardonio Magaña, Sr. Carlos Mérida, Sr. Alberto Misrachi, Sr. Roberto Montenegro, Sra. Moreno Villa, Mr. Nicolas Muray, Sr. Juan O'Gorman, Sr. Diego Rivera, Sr. Manuel Rodríguez Lozano, Sra. Rosa Rolando de Covarrubias, Sr. Carlos O. Romero, Sr. Antonio Ruiz, Sr. Federico Sánchez Fogarty, Sr. Juan Soriano, Sr. Rufino Tamayo, Miss Frances Toor, Mr. Monroe Wheeler, Sr. Alfredo Zalce.

Secretaría de Educación Pública, México; Secretaría de Hacienda y Crédito Público, México; Instituto Nacional de Antropología e Historia; Universidad Nacional de México; Museo Nacional de México; Museo de Arte Popular; Pinacoteca del Palacio de Bellas Artes; Galerías Nacionales de Pintura; Museo de Arte Religioso; Museo Regional del Estado de México; Galería de Arte Mexicano; Taller de Gráfica Popular; The National Museum of Washington, D. C.; The American Museum of Natural History of New York; The Peabody Museum of Harvard University; The Museum of the American Indian (Heye Foundation), New York City, and The Brooklyn Museum of Art, New York.

FOREWORD OF THE MEXICAN
DEPARTMENT OF FOREIGN AFFAIRS

Nothing does more to strengthen the bonds between peoples than the mutual understanding and appreciation of their spiritual values; and there is no clearer exponent of the human spirit than art in its diverse manifestations. Conscious of this, the Museum of Modern Art is carrying on an effective and invaluable labor of culture, friendship, and better international relations.

The Museum of Modern Art of New York, inspired by the noble purpose guiding its work, has offered the Government of Mexico its cooperation for the present exhibition, the object of which is to give a complete and balanced picture of our art, from pre-Spanish times up to the latest schools of painting. The exhibition is divided into four sections: pre-Spanish, Colonial, Folk, and Modern.

The importance of this effort to spread knowledge of the rich artistic tradition of Mexico is unquestionable. Such an effort will doubtless constitute an effective means of bringing about a better understanding of our life, both past and present. When the people of the United States in general, like those who are privileged to enjoy this exhibition, know us better, they will possess a fairer and more enlightened judgment of the cultural and artistic evolution of our country.

For this reason the Mexican Department of Foreign Affairs, which made the arrangements between the Government of Mexico and the Museum of Modern Art of New York, gave its most enthusiastic support to the task of realizing this exhibition; for it believes that through this means a real contribution is being made towards strengthening the friendship that unites our two countries which, because they are neighbors, should know and appreciate each other better.

PRELIMINAR DE LA SECRETARIA
DE RELACIONES EXTERIORES DE MEXICO

Nada acerca más a los pueblos que la mutua comprensión espiritual, y no hay exponente más claro del espíritu que el arte en sus diversas manifestaciones. Reconociéndolo así, el Museo del Arte Moderno de Nueva York realiza una efectiva e inestimable labor de cultura, de amistad y de estrechamiento de relaciones internacionales.

El Museo de Arte Moderno de Nueva York, dentro de los plausibles propósitos que inspiran su labor, ha brindado al Gobierno de México su cooperación para llevar a cabo esta exposición, en la que se trata de ofrecer un cuadro completo y organizado de nuestro arte, desde las culturas prehispánicas hasta las últimas escuelas de pintura, dividiéndola en cuatro secciones: arte prehispánico, arte colonial, arte popular y arte moderno.

La importancia de esta labor, por lo que hace a difundir la rica tradición artística de México, es innegable: ello constituirá, sin duda alguna, un medio eficaz para lograr una mejor comprensión de nuestra vida espiritual, pasada y presente, y al comprendernos y conocernos mejor, tanto el pueblo de los Estados Unidos como en general todas las personas que tengan oportunidad de ver esta exposición, podrán formarse un juicio más fundado y certero respecto de la evolución cultural y artística de nuestro país.

Es por eso que la Secretaría de Relaciones Exteriores de México, al intervenir en los arreglos respectivos que se hicieron entre el Gobierno Mexicano y el Museo de Arte Moderno de Nueva York, puso el más entusiasta empeño para que esta exposición se llevara a cabo, en la confianza de que por este medio se realiza una positiva labor de estrechamiento de la amistad que une a los dos pueblos, que, precisamente por ser vecinos, deben conocerse y estimarse mejor.

In presenting the exhibition of "Twenty Centuries of Mexican Art," the Mexican Government and The Museum of Modern Art seek to provide the American public an opportunity to study Mexico's art of today against the background of its cultural past. Nothing on so comprehensive a scale has ever before been attempted, and the Trustees of the Museum of Modern Art wish to express their gratitude to all those whose enthusiastic cooperation has made this great exhibition possible and especially to the people of Mexico for their generosity in permitting us to see so many of their masterpieces.

The more thoughtful of us will not see the exhibition without provocative reflections about the nature and value of our two civilizations, for Mexican culture, as expressed in its art, seems in general to be more varied, more creative, and far more deeply rooted among the people, than ours. The Mexicans, of course, have one great advantage over us. They have an incomparably richer artistic past — two pasts, in fact — a European and a native, both of which survive in modified form today.

When the English and Dutch colonized the Atlantic coast in the early sixteen hundreds, they found sparse and scattered tribes still living in what was virtually the Stone Age. But when the Spaniards conquered Mexico a hundred years before, they found civilizations which astounded them as much by their complex organization and culture as by their fabulous wealth, elaborate art, and magnificent architecture. We must admit, too, that our early colonists, with all their courage, shrewdness and piety, brought with them a culture which was meagre artistically by comparison with that of the Spain which the conquistadors left behind them. When we admire with a certain envy and humility the art of modern Mexico, let us comfort ourselves by remembering that its artistic heritage is the result of the conflict and mingling of what was at that time the greatest empire of Europe with the most powerful empire of America.

With the art of the pre-conquest Aztec domain we are already fairly familiar, though in this exhibition we see it with unprecedented richness. We know something, too, of the art of imperial Spain, especially its painters, El Greco, Velázquez, and Murillo. But of the colonial art born of these two traditions we know comparatively little. Even such an exhibition as this can give us but a hint of the incomparable variety and magnificence of the Mexican baroque which, with its sumptuous palaces and thousands of polychromed and richly carved churches, makes our own colonial art seem modest indeed.

Mexico's War of Independence came some forty years after ours, and during the turbulent period of Iturbide, Santa Anna and Juárez, and the ensuing long regime of Díaz, the official art of Mexico seems bound to foreign tradition. But the creative talent of the nation was kept alive in its popular art — provincial portraits, retablos, lacquerware, ceremonial masks, political caricature, etc. These things provided an important stimulus to the revival of the conscious national art which developed between 1914 and 1927 — the new creative period which found its chief expression in the mural paintings of Rivera, Orozco, and their colleagues. By 1925, rumors of the "Mexican Renaissance" began to reach the United States and within a decade Mexican mural painting had become the most important foreign influence upon the art of our country.

The Mexican artists were, many of them, men of great culture and knowledge, familiar with the art of the past and with the esoteric vanguard movements of Paris. But with a common purpose they left their studios to paint the walls of public buildings with pictures of social, political, or historical subjects which were both important and immediately intelligible to the Mexican people. Their triumph was incalculably stimulating to their American fellow artists.

The social and political content expressed by the Mexican mural painters was conspicuous, but equally important was their strong nationalism.

This they showed not only by the subject matter of their paintings but also by their enthusiasm for the ancient art of Aztecs and Mayas and for popular art. For it is in its folk art (to which a large section of the exhibition is devoted) that the two great traditions of Mexican culture, the Indian and the Spanish, are most completely harmonized in marvelously varied, abundant, and esthetically satisfying forms.

An exhibition such as this can do little more than introduce one to the nation's history and culture. Seen in New York, much of the varied art of Mexico will seem bizarre, amusing, picturesque. But to those who know and love Mexico its plastic forms are more than this: they are the symbols of a way of life which still preserves that gayety, serenity, and sense of human dignity which the world needs.

PRELIMINAR DEL MUSEO DE ARTE MODERNO

Al presentar la exposición de "Veinte Siglos de Arte Mexicano", el Gobierno de México y el Museo de Arte Moderno han querido dar al público de los Estados Unidos una oportunidad para que estudie el arte del México de hoy dentro de la perspectiva cultural del México de ayer. Nada se había intentado antes de tal magnitud, y los Síndicos del Museo de Arte Moderno desean expresar su agradecimiento a todas aquellas personas cuya entusiasta cooperación hizo posible esta exposición, y especialmente al pueblo mexicano que generosamente nos ha permitido contemplar tantas obras maestras suyas.

Esta exposición no dejará de despertar en los norteamericanos más observadores interesantes reflexiones sobre el carácter y la significación de nuestras dos civilizaciones. Comparada con la nuestra, la cultura mexicana, según la expresa su arte, parece ser, en general, más variada, de mayor fuerza creadora y más cercana al espíritu del pueblo. Los mexicanos tienen sobre nosotros una gran ventaja: un pasado artístico incomparablemente más rico, en realidad dos pasados —uno europeo y otro indígena—, los cuales han sobrevivido conjuntamente, con ciertas modificaciones, hasta nuestros días.

Cuando, a principios del siglo XVI, ingleses y holandeses colonizaron la costa del Atlántico no encontraron más que unas cuantas tribus dispersas que vivían casi en la edad de piedra. Pero cien años antes los españoles, al conquistar México, habían hallado civilizaciones que los maravillaron por su avanzada organización y cultura, por su riqueza fabulosa, por su arte refinado y su soberbia arquitectura. Hay que reconocer también que los primeros colonos norteamericanos, denodados, sagaces y piadosos como eran, trajeron consigo una cultura que, en lo artístico, resultaba pobre comparada con la que trasplantaron de España los conquistadores. Y si, al admirar el arte del México actual, lo envidiamos con cierto rendimiento, sírvanos de consuelo el pensar que el patrimonio artístico de ese país proviene del encuentro y la fusión de lo que fué el imperio más grande de Europa y el imperio más poderoso de América.

Con el arte de los dominios aztecas antes de la Conquista estamos bastante familiarizados, aunque en esta ocasión lo vemos representado con una abundancia sin precedente. Algo sabemos también del arte de la España imperial, sobre todo de la pintura de El Greco, Velázquez y Murillo. Pero del arte colonial que nació de estas dos tradiciones sabemos relativamente poco, y aun una exposición tan importante como ésta, sólo puede darnos una idea de la incomparable variedad y magnificencia del barroco mexicano que, con sus soberbios palacios y sus millares de iglesias esculpidas y policromadas, hace palidecer nuestro modesto arte colonial.

La guerra de independencia de México sobrevino casi cuarenta años después de la de Estados Unidos, y durante la época turbulenta de Iturbide, Santa Anna y Juárez y el dilatado gobierno de Díaz, el arte oficial estuvo dominado por corrientes extranjeras. Pero el talento creador del país se mantuvo vivo en el arte del pueblo, —retratos de pintores de provincia, retablos, lacas, máscaras rituales, caricatura política, etc. Todo esto fué un estímulo para el renacimiento de un arte de sentido nacional, que se desarrolló entre 1914 y 1927, nuevo período creador cuya expresión más alta son las pinturas murales de Rivera, Orozco y sus compañeros. Por el 1925 llegan a los Estados Unidos rumores de un "renacimiento mexicano" y en los diez años siguientes la pintura mural mexicana es la influencia extranjera preponderante en el arte de los Estados Unidos.

Muchos de los artistas mexicanos tenían gran cultura y estaban bien enterados del arte del pasado y de los esotéricos movimientos de las vanguardias de París; pero, movidos por un propósito común, abandonaron sus talleres para llenar los muros de los edificios públicos con pinturas de temas sociales, políticos e históricos, a la vez trascendentales y fácilmente comprensibles para el pueblo mexicano. Y su triunfo fué de incalculables consecuencias para sus colegas de los Estados Unidos.

El mensaje político-social de los pintores murales era importante, pero no lo era menos su intenso nacionalismo, revelado tanto por los temas de sus pinturas, cuanto por su nueva devoción hacia las obras de los aztecas y mayas y hacia el arte del pueblo. En el arte popular, representado ampliamente en nuestra exposición, se funden plenamente las dos grandes tradiciones de la cultura mexicana, la indígena y la española, en formas estéticas notables por su calidad y riqueza.

Una exposición como ésta no puede más que ponernos en estrecho contacto con la historia y la cultura de una nación. Desde Nueva York, gran parte del arte mexicano podrá parecer extraño, curioso o pintoresco; pero para quienes conocen y aman a México, sus formas plásticas significan algo más: son los símbolos de un modo de existencia que todavía conserva esa alegría, esa serenidad y ese sentido de dignidad humana que tanto necesita el mundo.

INTRODUCTION

L'art mexicain se rapproche de plus en
plus de nous au point de determiner dans
nos recherches des courants essentiels.

Elie Faure

For the first time in the history of art exhibitions, there has now been brought together in one building an authoritative and systematic collection of Mexican art, from the archaic cultures to the most recent schools of painting. The exhibition is divided into four sections. The first, pre-Spanish art, has been assembled by Dr. Alfonso Caso, internationally-known authority on Mexican archaeology and Director of the National Institute of Anthropology and History. The second, art of the colonial period, has been entrusted to Prof. Manuel Toussaint, Director of the Institute of Esthetic Research of the National University, a man of unsurpassed knowledge in the field. The third section is devoted to folk art, and has been organized by the distinguished painter, Roberto Montenegro, former director of the first museum of popular art founded in Mexico (1934). The fourth section, modern art, has been arranged by Miguel Covarrubias, famous caricaturist and painter, who has understood so well the restlessness of our time.

The Place of Mexico in Art History. Until recently, it would not have been possible to understand the whole course of Mexican art, from the Olmec figurines to the creations of Orozco. Pre-Spanish art seemed alien to the esthetic traditions dominant in Europe until the end of the nineteenth century. Mexican colonial art employs certain original elements that were appreciated only after the recent revaluation of baroque. The reason that our contemporary art takes its place so naturally in the progressive movements which are broadening the scope of modern painting is perhaps because it

has contributed to the shaping of those movements. Trends of taste in recent years have been concerned with qualities that go beyond that curiosity about the visible world which has been one of the preoccupations of European art. In the plastic arts, Europe is now considered to be only one of the provinces of the world. China and Egypt have become other such provinces, and when Prof. Frobenius discovered the wonderful heads of the Sudan, East Africa, too, entered the geography of art.

The ancient civilizations of America had been the subjects of important archaeological research in the early twentieth century, and soon began to arouse esthetic interest as well. They were given their place in the handbooks and histories of art, and their importance was recognized by The Museum of Modern Art in New York in its exhibition of "Aztec, Incan, and Mayan Art" in 1933. The Palace of Fine Arts in Mexico City organized an exhibit of ancient Mexican sculpture in 1934. Mexican baroque has recently provided a new chapter in the history of architecture and sculpture. The great mural painting of today has attracted worldwide attention, and thus Mexico has become established as another of the major artistic provinces of the world.

Pre-Spanish Sculpture. Pre-Spanish history is riddled with lacunae. All that can be stated with certainty is that, quite independent of any European or Oriental influence, peoples speaking different languages and at various stages of cultural development gradually created a civilization in Mexico which, by the tenth century, already knew the use of certain metals. This civilization has left us temples, palaces, tombs, ball-courts, images of its gods, ritual masks and funeral urns, mural painting and codices, jewelry and personal ornaments, pottery for household and religious uses, weapons, and primitive tools. All these do not belong to the same epoch, style, or culture, but together they form a rich and varied aggregation which is, nevertheless, homogeneous and comparable to Chinese art of the two thousand years from Confucius to the Ming Dynasty.

Pre-Spanish art in Mexico served a religious function. It was not content to copy the external world, whose visible forms were for it no more than an outward testimony of great inner forces. It created original compositions, using real elements with an almost musical freedom. It is not a crude art; they are mistaken who see in its bold simplifications or wayward conceptions an inability to overcome technical difficulties. The ancient Mexican artist was deliberate and skillful, and, though never led by a merely descriptive aim, he often lingered over his subjects with realistic and minutely observant pleasure. One marvels at his plastic feeling and at his powers of decorative composition.

The Mayas achieved in sculpture a placid and austere beauty of proportion and a sensitiveness in modeling which has rarely been surpassed. * The works of the Totonacs reveal a people of keen sensibility and varied means of expression. Their grace and tranquil, formal beauty, their plastic rhythm and interpretation of psychological values place their makers among the creators of purest art. Aztec works rival the sober and vigorous solidity of great Egyptian sculpture, which they surpass in human intensity. The colossal statue of Coatlicue (Pl. 12.) shows that equilibrium between a maximum richness of detail and an assertion of plastic structure which, centuries later, is again to be found in the Mexican baroque.

In its finest works, Mexican sculpture equals the masterpieces of any other period. The plastic feeling of these mysterious people led them to solutions that are surprising in their modernity. There are Tarascan statuettes that anticipate the essential and drastic simplicity of Brancusi, and Totonac masks that recall the poignant mortality which haunted Lehmbruck. The reclining figure of Chac-mool (Pl. 28.) seems to forecast the lines of "The Mountains" by the English sculptor, Henry Moore. The ancient Mexican tried sculptural caricature also, and even sought to reproduce color

* Roger Fry, The Arts of Painting and Sculpture. London, 1932.

effects plastically, as in the jaguar's spots of Plate 18. These peoples have left us, as Roger Fry affirms, "more masterpieces of pure sculpture than the whole of Mesopotamia, or than the majority of modern European civilizations."

Mexican Baroque. After the Conquest, the Indian worked under the direction of the Spaniard. In cutting stone he instinctively sought simplification of form, indulged in rich decorative compositions. When, as building increased, the indigenous artist was given greater freedom, the classic architectural orders, for example, began to lose their purity. There appeared, either rudely or subtly, a distortion of traditional forms, and they became the vocabulary of a new kind of expression. For example, though imitating the facade of San Agustín Acolman, so European in its architectural character, the designer of the church of Yuriria seems, in the branch-like patterns of the upper part of the facade, to have conceived of his columns as trees.

The plateresque style, banished from Spain by the herrerian vogue, enjoyed long life in the Colony. Later, at the beginning of the seventeenth century, there appear together the first re-assertion of the Mexican spirit and the first elements of the baroque style. Culminating in Mexican churrigueresque, the baroque gave full satisfaction to the new Indian-Spanish race, both to the common people and to genteel colonial society. Mexican baroque responded naturally to the innate sensibilities of both conquerors and conquered. Both found in it a suitable means of expression for their lively and original spirit, for their vigorous feeling for form, for their love of decoration, for their naturally refined taste, for their religious understanding which demanded incarnation in esthetic symbols, and even for their extravagance. Hence the designs for facades and altarpieces occasionally sent from Spain had to reckon with these special tastes of the Colony.

An ability to compose with richly complicated forms is shown in the more extreme expressions of the Mexican baroque. Church facades, altarpieces and the decoration of interiors reveal in their exuberance of carving, gilding, and accents of color a perfect idiom for the new Mexican spirit. But over this rich profusion, a coherent order presides, though not always as clear and delicate as in the facade of Tepozotlán.

In the climax of this style, often called Mexican churrigueresque, the Mexico of the colonial centuries found its most complete and original esthetic expression. It was, as pre-Spanish sculpture had been before and as modern mural painting was later to be, a national art, enriched by the inspiration of native popular art. In what form the people felt it is shown in the naive architectural gracefulness and the magnificent altarpieces of the Ocotlán Sanctuary. (Pl. 49.)

Mexican baroque is not a provincial repetition of Spanish baroque. In the architectural and sculptured achievements it is a separate chapter in the history of art. Sacheverell Sitwell has justly written, "La Valenciana, Tepozotlán, Ocotlán, Taxco — four churches with the omission of which no history of architecture is complete." *

Mural Painting. During the greater part of the nineteenth century, Mexico dedicated all her energies to consolidating her independence and seeking new forms of social justice. After the Liberal flood had swept away Maximilian's Empire and the Conservatives, it subsided, and its residue acted as the breeding ground for the pollution of the Díaz dictatorship. In 1910 the people rebelled, and after a ten-year struggle, won again the right to feel truly Mexican. Art rebelled also; far from the academic tradition, painting tried new paths and found new tasks worthy to perform.

Great mural painting begins in Mexico after the Revolution. Having already given proof of his artistic ability in the delicate lines of pre-Spanish reliefs and in the religious pictures of the colonial period, the Mexican was ready for the notable achievements of the mural painting of today. It is as though the artistic genius of our race had needed only an opportunity and a new faith in order to reach in painting that glorious fullness it had once boasted in ancient sculpture and in baroque architecture. A wave of social fervor, of passionate convictions, and of beauty animates the forms of the great Mexican frescoes.

As in the national life, so also on the public walls appeared the people, struggling for liberty and justice, and the Indian amid his joys and sorrows. These frescoes belong to everyone and were painted for everyone; the artist, bound to portray subjects of national significance, tried to tell in masterpieces what he thought and felt about his country and his people.

And then, as happens when a vigorous and eager spirit permeates an art, the painters sought a vocabulary of handsome forms and convincing symbols to interpret their thoughts and feelings. On Mexican walls were written the life of the people and the history of the nation, the silent tragedy of

* Spanish Baroque Art. London, 1931.

the humble and the sordid ambition of the wicked. Shining above all, was the hope of a better world.

It was not a question of mere propaganda, or of showy posters vaunting the politicians of the moment. This painting was the perfect union of a strong art and a living thought — art and thought which, as in the great periods of the past, were nourished by the anxiety and the longing of the whole people. Diego Rivera drew the life and the history of the country with a richness of composition, a formal harmony, and a sense of mass and space that no one has surpassed in our time. José Clemente Orozco, penetrating yet deeper, painted with a generous cruelty and a rough tenderness the bold and broken symbols of contemporary wickedness, truth everlasting, and that innate tragedy that seems to be part of the Mexican soul. With these men, there came a whole new generation of painters.

Mexican mural painting of the twentieth century is not only Mexico's greatest contribution to the art of our time but one of the most vigorous and original contemporary esthetic manifestations.

Folk Art. All peoples embellish their objects of daily use and evolve similar types of designs, combinations of primary colors, simplified straight-line textile patterns and stylizations resulting from a primitive inventiveness or imposed by the use of similar materials or tools. All this is found in Mexixo, and whoever knows the folk arts of Europe will not fail to discover similarities between certain Mexican objects and their equivalents in Russia, Hungary, Czecho-Slovakia, or Sweden.

But one is astounded not only by the abundance of beautiful objects that the Mexican people make, but by the quality of esthetic achievement in so many of them. The simplest jar surprises at times with its beauty of proportion; in the decorations of Guadalajara pottery the poetic sense of composition and line reminds us of Persian prints; and a softness of tones and happy decorative inventiveness make the Talavera of Puebla akin to the ceramics of China. The lacquers of Michoacán recall in their combinations of colors and in their delicate floral designs the charm of tropical gardens. In his small clay toys the Mexican often gives us the vision of the animal world with surprising plastic keenness, while the "retablos" or ex-voto paintings show in their subjects and technique the vivid sense of drama and the daring composition of the primitives.

To this feeling for beauty, at once naive and refined, the Mexican adds an abundant resourcefulness and an almost Asiatic capacity for minute detail. He has also a certain ironic subtlety and a strange pleasure in the macabre, surprising to the foreigner but inherited from the days when the idea of death was a constant concern of both the Indian and the Spaniard.

Mexican popular art reveals a people unusually gifted for self-expression in forms of esthetic significance, and the vitality explains why the plastic arts that were becoming debilitated in cultured environments acquired new vigor and feeling when they drew near to the taste and inspiration of the people.

The Mexican Soul. Visitors to this exhibition will not find it hard to recognize that the Mexican people possess extraordinary genius for plastic invention and formal beauty. It will not be difficult to discover in our arts that the finest works are those with a religious or social conviction. If the visitor has looked at the exhibition carefully he will find that the Mexican, although capable of imitating reality, uses it for the most part symbolically; that he enjoys the free play of elaborate decoration and conveys messages contained in forms charged with meaning; that he understands monumentality and also takes delight in minuteness; that the rich profusion he loves obeys a secret discipline; that he is delicate even to softness and violent to imprecation; and that in him a profound and ancient sorrow nourishes the flowers of laughter and irony.

For all these contradictions, the serious observer will find in this exhibition eloquent arguments, for these contradictions are at once the essence of our art and the soul of our people.

ANTONIO CASTRO LEAL

INTRODUCCION

L'art mexicain se rapproche de plus en plus de nous au point de determiner dans nos recherches des courants essentiels.

Elie Faure

Por primera vez en la historia de las exposiciones de arte se reúne en un mismo edificio una colección orgánica y representativa del arte mexicano desde las culturas arcaicas hasta las últimas escuelas de pintura. La exposición está dividida en cuatro secciones. La primera corresponde al arte prehistórico y ha sido formada por el Doctor Alfonso Caso, Director del Instituto Nacional de Antropología e Historia, de autoridad internacional en el campo de la arqueología mexicana. La segunda comprende el arte colonial y ha estado a cargo del Profesor Manuel Toussaint, Director del Instituto de Investigaciones Estéticas de la Universidad Nacional de México, cuyo conocimiento en la materia nadie supera. La tercera comprende las artes populares y ha sido organizada por el distinguido pintor Don Roberto Montenegro, que fué Director del primer Museo de Arte Popular fundado en México (1934). La cuarta sección corresponde al arte moderno y ha estado a cargo de Don Miguel Covarrubias, famoso caricaturista y pintor, que ha vivido sinceramente las inquietudes de nuestro tiempo.

México y el arte universal. Antes de ahora hubiera sido imposible apreciar en su integridad el arte mexicano desde las figurillas olmecas hasta las creaciones de José Clemente Orozco. El arte prehispánico resultaba extraño a la tradición estética que dominó en Europa casi hasta fines del siglo XIX; el arte colonial de México contiene ciertos elementos originales que sólo fueron valorados después de la reciente rehabilitación del barroco; y si nuestro arte moderno cabe tan bien dentro de las tendencias que ampliaron el horizonte de la nueva pintura, es sólo porque ha contribuido en algo a formarlas.

La plena apreciación de veinte siglos de arte mexicano es, pues, el resultado de nuevos modos de ver y de sentir. Las orientaciones del gusto en los últimos tiempos han respondido siempre a una valoración de aquellos elementos que rebasaban esa curiosidad por el mundo visible que ha sido una de las preocupaciones tradicionales de la estética europea. En las artes plásticas, Europa acabó por ser nada más una provincia del mundo. China y Egipto eran otras. Y cuando Frobenius descubre las maravillosas cabezas del Sudán, el África occidental entra de lleno en la geografía del arte.

Las antiguas civilizaciones de América, que habían sido motivo de importantes estudios arqueológicos, empezaron a despertar un interés estético. Los manuales e historias del arte se ocuparon de ellas. En 1933 el Museo de Arte Moderno de Nueva York les dió un lugar prominente al exhibir "las fuentes americanas del arte moderno". En 1934 el Palacio de Bellas Artes de México organizó una exposición de escultura mexicana antigua. El barroco mexicano formó un nuevo capítulo en la historia de la arquitectura y de la plástica. La gran pintura mural de nuestro tiempo atrajo, por su parte, la atención del mundo. Y México acabó por ser otra de las provincias del arte universal.

La escultura prehispánica. La historia prehispánica está llena de lagunas. Todo lo que se puede decir es que un grupo de pueblos que hablaban distintos idiomas y que representaban diversas culturas fueron creando en México, independientemente de cualquier influencia europea u oriental, una civilización que, en el siglo X, ya conocía el uso de ciertos metales. Esta civilización nos ha dejado templos, palacios, tumbas, juegos de pelota, imágenes de sus dioses, máscaras rituales y vasos funerarios, estatuas y relieves, pinturas murales y códices, joyas y ornamentos suntuarios, cerámica para usos domésticos y religiosos, armas e instrumentos primitivos. Todo esto no pertenece ni a la misma época, ni al mismo estilo, ni a la misma cultura. Forma un conjunto variado y rico y, sin embargo, homogéneo, como el que presenta el arte chino en los dos mil años que van de Confucio a la dinastía Ming.

El arte del México prehispánico tiene una finalidad religiosa. No se conforma con copiar el mundo exterior; las formas visibles son para él nada más un testimonio que invoca. Compone los elementos de la realidad con cierta libertad musical. No es un arte rudo: se equivocan quienes ven en su atrevida simplificación o en sus caprichosas concepciones una incapacidad para vencer dificultades técnicas. El artista era consciente y hábil; y aunque nunca lo guió un simple propósito descriptivo solía detenerse ante las cosas con un gusto realista y minucioso. Maravilla su sentimiento plástico y su poder de composición decorativa.

Los mayas alcanzaron en escultura una belleza de proporción, plácida y austera, y una delicadeza de modelado raras veces superada. Las obras totonacas revelan a un pueblo de fina sensibilidad y de múltiples recursos expresivos que por su gracia y tranquila belleza formal, por su ritmo plástico y por su interpretación de los valores psicológicos debe figurar entre los creadores de arte más puro. La energía sintética de los aztecas tiene la sobria y viva solidez de la gran escultura egipcia, a la cual supera en cierto temblor humano; la estatua colosal de Coatlicue (lám. 12) muestra ese equilibrio entre la recargada riqueza de los detalles y la afirmación de la estructura plástica que, siglos después, encontraremos en el barroco mexicano.

En sus mejores momentos la escultura mexicana antigua iguala a las obras maestras de cualquier época. El sentimiento plástico de aquellos pueblos misteriosos los llevó a soluciones que sorprenden por su modernidad. Hay estatuillas tarascas que anticipan la desnudez plástica y esencial de Brancusi, y máscaras totonacas que expresan el desamparo de lo mortal con la intensidad de Lehmbruck. La figura reclinada de Chac-mool (lám. 28) adelantó sus líneas a "Las montañas" del escultor inglés Henry Moore. Ensayaron también la escultura caricaturesca y hasta llegaron, como en un juego, a buscar efectos de color esculpiendo las manchas del jaguar (lám. 18). Esos pueblos nos han dejado —afirma Roger Fry— más obras maestras de escultura pura que todas las civilizaciones de la Mesopotamia o que la mayoría de las civilizaciones modernas de Europa.

El barroco mexicano. Después de la Conquista el indio trabajó bajo la dirección del español Al labrar la piedra buscaba instintivamente simplificaciones plásticas o se entretenía en composiciones decorativas. Cuando, conforme aumentaban las construcciones, la intervención del artista indígena fué mayor, los órdenes clásicos empiezan a perder su pureza. Hay una deformación, tosca o sutil, de los elementos plásticos tradicionales, y acaba por dárseles un nuevo sentido. Al imitar la portada de San Agustín Acolman, tan europea en sus valores arquitectónicos, el artista de la iglesia de Yuriria parece que hubiera querido completar los troncos de las columnas con esa decoración arborescente que ha extendido por todo el segundo cuerpo.

El plateresco, desterrado de España por el herreriano, alcanzó larga vida en la colonia. Y cuando entra el siglo XVII aparecen los primeros perfiles del alma mexicana y del barroco. Este estilo, que culmina en el churrigueresco mexicano, satisfacía plenamente a la nueva raza de indios y españoles, al pueblo y a la sociedad colonial. Y es que el barroco mexicano respondía a modos de ser y de sentir de conquistadores y conquistados: en él hallaban expresión perfecta un espíritu vivo y original, una religión que siempre reclamó símbolos estéticos, un vigoroso sentimiento plástico, una atracción hacia lo rico y lo decorativo, un gusto naturalmente refinado y aun cierta propensión al despilfarro y la magnificencia. Los mismos diseños de fachadas y retablos que solía enviar España tomaban siempre en cuenta la idiosincrasia de la Colonia.

La capacidad de organizar la materia en formas hermosas y recargadas se revela en las expresiones más extremas del barroco mexicano. Fachadas de iglesia, retablos y decoraciones interiores ofrecían en su riqueza de esculturas y relieves, de dorados y toques policromos un lenguaje perfecto para el nuevo espíritu mexicano. Pero sobre esa profusión y riqueza reinaba siempre un orden, aunque no sea siempre tan visible y delicado como en la fachada de Tepotzotlán.

En ese estilo, que se designa frecuentemente con el nombre de churrigueresco mexicano, encontró el México de los siglos coloniales su expresión estética más completa y original. Fué, como antes lo había sido la escultura prehispánica y después lo sería la pintura mural del siglo XX, un arte nacional, enriquecido con inspiraciones populares. La forma en que el pueblo lo sentía

lo revelan la ingenua gracia arquitectónica y los magníficos retablos del Santuario de Ocotlán (lám. 49).

El barroco mexicano no es una simple repetición del barroco español; forma en sus derivaciones arquitectónicas y plásticas un capítulo separado del arte universal. Y, según lo ha dicho Sitwell con toda justicia, no es posible escribir la historia de la arquitectura sin tomar en consideración, por ejemplo, las iglesias de Tepotzotlán y la Valenciana, la de Santa Prisca, en Taxco, y el Santuario de Ocotlán.

La pintura mural. Durante la mayor parte del siglo XIX México dedicó todas sus fuerzas a consolidar su independencia y a buscar nuevas formas de justicia social. Después que el torrente liberal barrió con el Imperio de Maximiliano y los conservadores, las aguas de la historia se estancan y, durante el reinado de Porfirio Díaz, se empiezan a pudrir. El pueblo acaba por rebelarse y, después de una lucha de diez años, reconquista el derecho de sentirse mexicano. El arte se rebela también. La pintura, que lejos de la tradición académica ensayaba nuevos caminos, encuentra un noble empleo.

Principia la gran pintura mural del México postrevolucionario. Después de haber dado pruebas solemnes de su capacidad pictórica en los delicados perfiles de los relieves prehispánicos y en los cuadros religiosos de la Colonia, el mexicano está ya preparado para las admirables realizaciones de la pintura mural de nuestro tiempo. Tal parece como si el talento plástico de nuestra raza hubiera necesitado sólo una oportunidad y una nueva fe para alcanzar en pintura esa gloriosa plenitud a la que había llegado antes en la escultura antigua y en la arquitectura barroca. Una ola de fervor social, de vibrantes convicciones y de belleza animó las formas de los grandes frescos mexicanos.

En los muros públicos, lo mismo que en la vida nacional, apareció el pueblo luchando por la libertad y la justicia, y el indio en medio de sus alegrías y sus tristezas. Esos frescos son de todos y para todos, y el artista, obligado a presentar en ellos asuntos de significación nacional, fué diciendo en obras maestras lo que pensaba y lo que sentía de su patria y de su pueblo.

Y entonces, como siempre que un gran anhelo estremece al arte, los pintores encontraron formas bellas y símbolos convincentes para interpretar sus pensamientos y sus emociones. En los muros mexicanos se escribió la vida del pueblo y la historia de la nación, la silenciosa tragedia de los humildes y la sórdida ambición de los malvados. Y sobre todo, como una luz consoladora, la esperanza de un mundo mejor.

Y no se trataba de una simple propaganda, ni de llamativos carteles para ensalzar a los políticos del momento. Esa pintura era la conjunción perfecta entre un arte fuerte y un pensamiento vivo, un arte y un pensamiento que, como en las grandes épocas de la humanidad, se alimentaban de las inquietudes y de los anhelos de todos. Diego Rivera trazaba la vida y la historia nacional con una riqueza de composición, una armonía formal y un sentido plástico del espacio que nadie supera en nuestro tiempo. Y José Clemente Orozco, ahondando más, pintaba con crueldad generosa y hosca ternura, en símbolos desgarrados y atrevidos, la maldad contemporánea, la verdad de siempre y esa íntima tragedia que parece ser uno de los modos del alma mexicana. Y con ellos venía toda una generación de pintores.

La gran pintura mural mexicana del siglo XX es no sólo la contribución más alta del México moderno al arte universal, sino una de las manifestaciones estéticas más vigorosas y originales de nuestro tiempo.

El arte del pueblo. Todos los pueblos embellecen sus objetos de uso diario, y todos llegan a soluciones estéticas semejantes: combinaciones de colores primarios, simplificación rectilínea de los dibujos de los tejidos y estilizaciones impuestas por una invención elemental o el uso de los mismos materiales o instrumentos. Todo eso se encuentra en el pueblo mexicano, y quien conozca, por ejemplo, las artes populares de Europa no dejará de descubrir semejanzas entre ciertos objetos mexicanos y otros similares de Rusia, Polonia, Hungría, Checoeslovaquia o Suecia.

Pero en el arte popular mexicano asombra, además de la abundancia de los objetos bellos que fabrica el pueblo, la calidad de perfecta realización estética que tienen muchos de ellos. La cerámica más rudimentaria sorprende a veces por su belleza de proporción; en las decoraciones de la de Guadalajara un sentido poético de la composición y de la línea recuerda las estampas persas, y una suavidad de tonos y una invención decorativa, feliz y rica, acerca la loza de Talavera de Puebla a la cerámica china. Las lacas de Michoa-cán reproducen en sus combinaciones de colores y en su delicada ornamentación floral la gracia de los jardines tropicales. Los retablos muestran en sus asuntos y en su técnica el sentido dramático y la atrevida composición de los pintores primitivos; y en los pequeños juguetes de barro suele darnos el mexicano su visión del mundo animal con sorprendente agudeza plástica.

A este sentimiento de la belleza, al mismo tiempo ingenuo y refinado, agrega el mexicano un ingenio fecundo y una capacidad asiática para la miniatura. Tiene también cierta sutileza irónica, y un misterioso deleite por lo macabro que sorprende al extranjero y que nos viene desde aquellos tiempos en que la idea de la muerte era, en el indio y en el español, una valerosa preocupación de todos los días.

El arte popular mexicano revela a un pueblo singularmente dotado para expresarse en formas de significación estética, y su vitalidad explica por qué las artes plásticas que se iban agotando en los medios cultos adquirieron nuevo vigor y sentido siempre que se acercaron al gusto y a las inspiraciones del pueblo.

El alma mexicana. A quien recorra atentamente esta exposición no le costará trabajo reconocer que el pueblo mexicano tiene capacidades extraordinarias de invención plástica y de armonía formal; no le será difícil tampoco descubrir que en nuestro arte las obras mejores son las que ha inspirado un anhelo religioso o social, y, si ha sabido ver bien, encontrará que el mexicano, aunque es capaz de reproducir la realidad, la utiliza principalmente como un lenguaje de símbolos; que gusta de la inconsecuente melodía de lo decorativo y de las formas cargadas de revelaciones; que siente lo monumental y se deleita en la miniatura; que debajo de la profusa riqueza que ama esconde un orden secreto; que es delicado hasta la ternura y violento hasta la imprecación, y que en él una honda, una vieja tristeza alimenta las flores de la risa y la ironía.

Para todas estas contradicciones el observador atento encontrará en esta exposición argumentos elocuentes, porque esas contradicciones son a la vez la esencia de nuestro arte y el alma de nuestro pueblo.

ANTONIO CASTRO LEAL

I
PRE-SPANISH ART
ARTE PREHISPANICO

II
COLONIAL ART
ARTE COLONIAL

III
FOLK ART
ARTE POPULAR

IV
MODERN ART
ARTE MODERNO

The following abbreviations are used to indicate institutions
which have lent objects to the exhibition:

    M. N.- Museo Nacional, México, D. F.
    P. P. B. A.- Pinacoteca del Palacio de Bellas Artes.
    G. N. P.- Galerías Nacionales de Pintura.

All pre-Spanish objects reproduced in the following pages
are lent by the Museo Nacional de México unless other-
wise designated.

PRE-SPANISH ART

To a public educated in European ideals of art, any esthetic manifestations not related to them may easily provoke a strong reaction because of their strangeness. However, if this impression, which may at first be frankly hostile, or perhaps merely disconcerting, is repeated and strengthened by contact with other works in similar style, it can engender a new kind of plastic understanding. Thus, when we are confronted with a whole culture and style entirely independent of any Asiatic or European influence, as with the aboriginal art of America, we may see it as a new revelation, and everyone may experience, now in the twentieth century, an artistic discovery of America.

For this reason, we believe that this exhibition of pre-Spanish art in New York ought to give a new vision to the public, above all to the artists of the United States; we hope it may be translated into works of modern American art rooted in the older art of our own continent. Of course we do not urge the servile copying of the works of art exhibited, or that motives be integrally adopted by modern artists; but there is something in each esthetic perception which remains after the object that has produced it has been forgotten, something which remains as a subconscious stimulant to the imagination of the artist, something which may motivate inspiration. It is in this sense we hope that the exhibition of pre-Spanish art may prove fruitful to the public and to the artists of the United States.

Mexico, because of its geographical situation between the two great continental areas of North and South America, forms a point of union, not only geographically but culturally; this is apparent even in the beginning of its culture. The more we advance in the study of aboriginal history, the more important appears the role of the continental isthmus region, beginning in Mexico and including Central America, as the obligatory corridor through which the cultural movements have had to pass from south to north, or vice versa. Moreover, this Central American region is the home of a series of important cultures which exercised a powerful in-

fluence on the centers of sedentary culture in the United States, and also on the barbaric tribes that wandered over the plains; to them must have come the almost legendary accounts of the existence of large cities abounding in food, rich in jewels, dazzling in the magnificence of their buildings, and redoubtable in the power of their innumerable warriors.

Certain parts of Mexico were obviously connected from very remote times with the indigenous culture of the southwestern part of the United States, and of the region of the Mound-builders. * Likewise it is certain that the Central American region was influenced from the south; there is, for example, no doubt that the art of smelting and working metals was introduced from the regions of South America.

Thus, Mexico is not only the obligatory passageway between the cultures of the north and of the south, but at the same time is a great center of culture in the pre-Spanish epoch; for this reason it has a leading role in the study of aboriginal art.

Of the two great cultural sources in America, one in the Andes and the other in Mexico and Central America, we have not yet been able to decide which is the first in point of time. Neither the investigations of archaeologists nor those of botanists have been able to determine which of these two regions first discovered agriculture, a matter of great importance, for the cultivation of corn is the basis of the development of all the great civilizations of the Americas. Undoubtedly there existed some very ancient connection between these two great cultural centers, but we have not yet been able to find how and when it first occurred. But from the artistic viewpoint, there is a relationship, indefinable, perhaps, but very real, between Peru and Mexico, which makes it possible to consider all inter-tropical America as one "artistic province."

* See G. C. Vaillant, "Some Resemblances in the Ceramics of Central and North America." Medaillon Papers, No. 12. Gila Pueblo, Globe, Arizona, 1932.

When we speak of pre-Spanish art in Mexico, it must not be forgotten that we include at least twenty centuries and that within this period there necessarily exist many styles that correspond to different periods in many different cultures. It would be false, for example, to consider pre-Spanish art in Mexico as only the art of the Aztecs or Mayas. This popular conception is as erroneous as would be the idea that all Mediterranean and European art is represented by that of the French or English in the eighteenth century. Aztecs and Mayas were the most important tribes that the Spaniards found at the time of the Conquest, but not even then were they the only great peoples in Mexico, nor did they represent an entirely original art and culture without antecedents, especially if we consider not only the aboriginal art at the time of the discovery of America, but also go back to a past so distant that it cannot yet be fixed in time.

Cultural Horizons. The question of American chronology is a difficult one, so much so that archaeologists speak of what have been called "cultural horizons" rather than of epochs. There is unquestionably a prehistoric horizon to which belong the Folsom arrowheads and other finds of stone implements in the United States. These finds have demonstrated that the American man was contemporaneous with fauna now extinct. It has not been possible to extend this first prehistoric horizon to Mexico, although the great quantity of finds in the southern part of the United States makes it very likely that prehistoric man existed also in Mexico.

Theoretically there should come a second horizon which would be characterized by the cultivation of certain plants, principally corn, and by the invention of pottery. In the southwestern part of the United States there have been found cultures without pottery or with pottery so crudely made that it can properly be considered as "primitive". But in Mexico it has not been possible to find this primitive pottery, and it also seems very improbable that the cultivation of corn was begun in the southwest of the United States among the tribes that are known as Basket-Makers. Consequently it has not been possible to locate in Mexico the second cultural horizon, the cultivation of corn and the invention of pottery. All explorations made in the Central American region have revealed a culture so developed that it cannot possibly be called "primitive". The origin of this culture is a problem still to be solved.

The third cultural horizon is characteristic of Mexico and Central America and is distinguished by the invention of writing and above all by the use of a ritual calendar called "tonalpohualli" among the Mexicans. All the pre-Spanish objects in this exhibition belong to this horizon or to the following one.

Lastly, the most important cultural feature characterizing the fourth horizon is the introduction of the use of metals, which without doubt commenced a few centuries before the Conquest.

When we speak of these cultural horizons, we do not mean thereby to indicate an identity of culture in all the tribes of Mexico and Central America; nor do we mean to say that knowledge of pottery-making, of the calendar, or of metals has been contemporaneous in all this geographical zone. On the contrary, many cultures, doubtless related but still independent, flourished in this vast zone and evolved different styles which, thanks to archaeological explorations, can now be placed in more or less chronological order, although in many cases we cannot yet translate this chronology into terms of our own calendar.

Archaic Cultures. In Mexico we can speak of a first stage of archaic cultures, of which we do not yet know even the name, which are found from El Salvador (Central America) to the Huasteca region of Veracruz, always in the deepest, i.e., the oldest, cultural strata. Nothing proves that these archaic cultures are contemporary with one another. It is difficult to indicate stylistic features common to all of them, but already in this first period, from Guatemala to Mexico, jade is carved to represent the human figure in a style called Olmec.

The second period consists of certain cultures, still nameless, which we call pre-Mayan, in Guatemala and southeastern Mexico, and Monte Albán II, in the State of Oaxaca. This culture shows a strong influence from farther south and is characterized in pottery by certain features such as four-legged vessels, a spool-shaped support, and also by the use of fresco decoration. It does not appear that this second cultural stage has reached farther north than the State of Oaxaca and the southern part of the State of Veracruz, but it is quite possible that some of the primitive periods of the Teotihuacán culture of central Mexico, to which we shall refer later, may be contemporaneous with this pre-Mayan culture of the south. An example of the magnificent manner in which the potters of this period represented the human form is shown by the sculpture from Monte Albán (Pl. 32) in the exhibition.

Cultural Summit. After this pre-Mayan, of Monte Albán II period, there followed the most flourishing epoch of Mexico and Central America in the Valley of Mexico, the great city of Teotihuacán reached its maximum splendor. Monte Albán in Oaxaca, and El Tajín in Veracruz, were important centers of culture whose influence was felt in vast zones. In southeastern Mexico and northern Central America, the great Mayan culture of the "Old Empire" period reached the greatest heights of all American Indian culture.

So in the entire Mexican and Central American zone, probably as a result of the founding of great empires or confederations of cities which lasted centuries, a state of peace was created. This fostered a higher economic development reflected in the building of great cities, in the dedication of sculptured monuments, and in the formation of a complex religious and burial ritual.

We cannot yet say whether this state of prosperity ended because of the failure of the soil to produce enough for a large population, or because of civil strife among rival empires or confederated cities. Their fall may have been brought about by the invasions of barbarians from the plains of the north or from the tropical forests of the south. There is no doubt, however, that everywhere a period of decadence set in. And in comparison with the former splendors, the legendary empire of the Toltecs of Tula (central Mexico) and the civilization which arose in Chichén Itzá (Yucatán) are inferior to the older cultures.

Nevertheless, the period of Central Mexican influence on the Mayas of Yucatán, as well as upon the Toltec empire in the Valley of Mexico, are still manifestations of a great cultural vigor; but new hordes of savage hunters constantly poured down from the north, weakening the strength of the empire and causing here, as in the period of the barbarian invasions in the Old World, a decline of civilization.

Aztecs. Among these barbarian hunters there came a small and apparently unimportant group, but so energetic that it was destined to perform great things — the Aztecs. In less than two centuries from the time when they founded their capital, Tenochtitlán (now Mexico City), in 1324, until they succumbed to the Spaniards in 1521, they transformed themselves from a small nomadic tribe into the great and dominating power which the Spaniards found

— a power that made kings and chieftains tremble from the Gulf of Mexico to the Pacific Ocean.

The art of the Aztecs is undoubtedly inspired and influenced by the art of the Toltecs, the Teotihuacanos and the other tribes that had preceded them in the Valley of Mexico, but their energetic and combative nature made them impress upon the earlier cosmogonic conceptions a vigor not found in the older and more refined cultures.

The Aztec stamps the horror of death on all of his creations. Warrior of a cruel god who demanded the blood of his victims in order to live, he perceived with particular clarity the eternal tragedy of the world in which life is rooted in death. This fatal truth is represented with such vigor, for example, in the superb statue of Coatlicue (Pl. 12), that one cannot find another work of art expressing it more brutally or grandly.

Zapotecs and Mixtecs. In the Valley of Oaxaca the struggle between the Mixtecs, whose culture is related to that of the Valley of Mexico, and the Zapotecs, who were culturally connected with the south, was carried on during several centuries. The Conquest found these tribes still engaged in their age-old struggle.

If we desired to establish a stylistic difference between the Mixtecs and Zapotecs, we would say that the former achieved a refined and exquisite culture to be seen in everything they made: gold jewerly, sculptures in wood and bone, historic codices and polychrome pottery; while the Zapotecs, in contrast, may be characterized as great builders. The cities of Monte Albán and Mitla show the originality of their conceptions and their science in execution. Preoccupation with an after-life is perhaps more constant in the Zapotecs than in any other tribe in America: it is revealed in the innumerable mortuary constructions, some of them, such as those of Mitla, so sumptuous that they are without rival on the entire Continent.

Mayas. In the Maya zone, the decadent culture of the last phase is shown by the art found by the Spaniards when they began the conquest of Yucatán. The golden age of the Old Empire, the Mayan renaissance, and the period of Toltec influence had already passed, and these later Mayas were incapable even of dreaming of great architectural and sculptural accomplishments.

Other Cultures. In this brief review of the indigenous nations of Mexico, there must be mentioned, though only by name, other peoples having great artistic qualities: the Huastecs and the Totonacs of Veracruz, more skillful than any others in carving basalt and other hard stones; those whom we call Tarascans, in the Pacific States of Michoacán, Colima, and Nayarit, who preserved a lively influence from the "archaic" culture and who attained in their clay sculpture a caricaturish naturalism and an expressiveness of unexcelled simplicity and purity. Unfortunately, we cannot yet place these tribes even in such a general chronology as that which we have indicated for the major groups. We call these objects Huastecan, Totonac, and Tarascan, because they were found in areas occupied by these nations when the Spaniards arrived, but the objects are not all contemporaneous with the same culture; and it is very probable that we attribute to the Totonacs things which were made many hundreds of years before that tribe established itself in the central part of the State of Veracruz.

Spirit of Pre-Spanish Art. Can we determine, in spite of the multitude of cultures and the immense chronological span of its artistic manifestations, a fundamental characteristic of pre-Spanish art? In my opinion, yes. There are certain ideas which form the basis of all Mexican artistic styles; ideas that become stronger as the cultures themselves acquire power and which later, in the periods of decadence, remain like the empty framework of what was once a splendid edifice. The foremost of these ideas, which may be considered the central motive of pre-Spanish art, is its strong religious and even hieratic nature. Even in the arts which are most humble and most closely related to daily life, even in the decorative motives of pottery, we find this religious ideal so characteristic of the Mexican Indian.

A second idea, which may also be considered fundamental, is the naturalistic development of separate details, although the whole may be a purely imaginary conception. Minute observation is revealed in the work of art with an exactitude almost photographic; the whole work, however, does not represent a real being but an idea, a product of fantasy, a being that lives only in the unreal world of myth.

Finally, a third idea which has already been suggested consists in transforming each motive into a decorative motive. Mexican art is a decorative art whose fundamental mode of expression is rhythmic repetition; hence the need for symmetry and the desire to cover with decoration all available space without leaving any large plain surfaces.

When art is in full maturity in an indigenous Mexican culture, these fundamental ideas are animated by the vigorous inspiration of the artist, and what may be excessive in them is attenuated; but in the periods of decadence, these fundamental motives appear as a fleshless skeleton; the religious feeling becomes hieratic; the realism of detail is exaggerated until it obscures the basic idea; and the desire to fill up empty spaces makes the work appear over-loaded and over-rich in style.

These same characteristics of pre-Spanish Mexican art we can find later in Colonial art and in folk art, although, of course, modified by the importation of European ideals. In the exhibition being held in this museum, the observant public will note that Mexican art is not just a name given to art which happens to come from one part of the world, but that there is a unity, an inspiration, a style which is truly Mexican.

ALFONSO CASO

ARTE PREHISPANICO

Para un público educado dentro de las concepciones del arte europeo, toda manifestación estética que no esté relacionada de algún modo con dicho arte tendrá que provocar, por su misma extrañeza, una reacción. Esta impresión, que en un principio puede ser francamente hostil, o bien sólo desconcertante, si se repite y tiene oportunidad de reforzarse con nuevas impresiones producidas por objetos que guarden una comunidad de estilo, engendrará un modo nuevo de entender plásticamente el mundo. Pero si, como sucede con las artes aborígenes de América, se está en presencia de una cultura y un estilo absolutamente independientes de cualquier influencia del mundo asiático o europeo, para un público inteligente y cultivado la visión de este arte tiene que ser como una nueva revelación y cada quien podrá realizar, en pleno siglo XX, el descubrimiento artístico de América.

Por esta razón creemos que la exposición de arte precortesiano, dará al público de Nueva York y particularmente a los modernos artistas norteamericanos, una visión nueva que esperamos se traduzca en obras de arte norteamericanas, pero inspiradas en las raíces mismas del arte de este Continente. Claro está que no pretendemos ni deseamos la reproducción servil de las obras de arte que se exhiben, ni siquiera que sus motivos pasen íntegramente a las concepciones de los modernos; pero hay algo en toda percepción estética que permanece después que se ha olvidado por completo el objeto que la produjo, algo que queda como un excitante subconsciente de la imaginación del artista, algo, en fin, que podemos llamar un motivo de inspiración. Es en este sentido en el que esperamos que la exposición de arte precortesiano sea fructífera para el público y los artistas de los Estados Unidos de América.

México, por su situación geográfica entre los dos grandes macizos continentales del norte y del sur, forma un punto de unión no sólo geográfica, sino culturalmente, que se deja sentir ya desde las primeras manifestaciones de su civilización. Conforme avanzamos más en el estudio de la historia aborigen, más importante nos parece el papel que ha tenido la región ístmica del Continente —que se inicia en México y comprende toda la América Central—, como el corredor obligatorio por el que han tenido que pasar las corrientes culturales del sur al norte o en sentido inverso. Pero hay más, esta región centroamericana es la cuna de una serie de culturas que tuvieron un alto valor y que ejercieron una poderosa influencia entre los núcleos de cultura sedentaria de los Estados Unidos y también entre los pueblos bárbaros que recorrían las estepas, y a los que debe haber llegado la noticia, casi legendaria, de la existencia de grandes ciudades abundantes en víveres, ricas en joyas, deslumbrantes por la magnificencia de sus edificios y temibles por la fuerza de sus innumerables guerreros.

Ciertas partes de México estuvieron evidentemente conectadas desde épocas muy remotas con las culturas indígenas del suroeste de los Estados Unidos y también con las culturas que florecieron en la región de los Mounds.* Por otra parte, es seguro que la región centroamericana recibió influencias del sur, y, por ejemplo, el arte de fundir y trabajar los metales es indudable que fué introducido en México de regiones de Sudamérica.

En suma, México es no sólo el lugar de tránsito obligado entre las culturas del norte y del sur del Continente, sino que a su vez es un gran centro productor de cultura en la época prehispánica; por eso tiene un papel de primer orden en el estudio del arte aborigen.

De los dos grandes focos culturales que existen en América —uno en la región andina y el otro en la región mexicana y centroamericana—, no hemos podido decidir todavía cuál es el primero en tiempo. Las investigaciones de los arqueólogos y de los botánicos conjuntamente, no han podido establecer en cuál de estas dos regiones se descubrió la agricultura, principalmente la agricultura del maíz, que es la base para el desarrollo de todas las grandes civilizaciones del Continente americano. Es indudable que existió una conexión muy antigua entre estos dos grandes centros culturales, pero no hemos podido encontrar todavía en qué forma y cuándo se hizo primeramente esta conexión. Pero desde el punto de vista artístico, como desde cualquier otro punto de vista cultural, hay un parentesco, quizá indefinible pero muy real, entre el Perú y México, que hace posible llamar una "provincia artística" a toda la América intertropical.

Cuando hablamos de arte prehispánico en México, no debe olvidarse que, por lo menos, comprendemos un período que abarca veinte siglos y que forzosamente dentro de este período existe una multiplicidad de estilos que corresponde a la multiplicidad de épocas y de culturas. Nada más falso, por ejemplo, que considerar el arte prehispánico en México como el arte de los aztecas o de los mayas. Esta concepción popular es tan incompleta como si considerásemos que todo el arte medite-

---

*   Véase G. C. Vaillant, "Some Resemblances in the Ceramics of Central and North America." Medaillon Papers, No. 12. Gila Pueblo, Globe, Arizona, 1932.

rráneo y europeo está representado por el arte francés o inglés del siglo XVIII. Aztecas y mayas eran los pueblos más importantes que encontraron los españoles en el momento de la Conquista, pero ni aún entonces eran los únicos que existían ni representaban por sí mismos una cultura y un arte originales y sin antecedentes. Con más razón si nos referimos no sólo al arte aborigen en el momento del descubrimiento de América, sino que nos remontamos a un pasado tan lejano que todavía no tenemos ningún dato seguro para situarlo en el tiempo.

Horizontes culturales. La cuestión de la cronología americana es una cuestión difícil, a tal punto que los arqueólogos hablan más bien que de épocas, de lo que se ha llamado "horizontes culturales". Hay indudablemente en América un horizonte prehistórico al que corresponden en los Estados Unidos, los hallazgos de implementos de piedra, por ejemplo las puntas Folsom. Estos hallazgos han demostrado que el hombre americano fué contemporáneo de una fauna actualmente desaparecida. Este primer horizonte prehistórico no ha podido ser extendido a México, aunque la gran cantidad de hallazgos en el sur de los Estados Unidos hace muy probable que el hombre prehistórico existiera en esta región.

Teóricamente vendría un segundo horizonte, que estaría caracterizado por el cultivo de ciertas plantas, principalmente el maíz, y por la invención de la cerámica. En el suroeste de los Estados Unidos se han encontrado culturas sin cerámica o con cerámica tan toscamente hecha que puede considerarse propiamente primitiva; pero en México esta cerámica primitiva no ha podido ser encontrada y, por otra parte, parece muy poco probable que el cultivo del maíz se haya iniciado en el suroeste de los Estados Unidos entre los pueblos que se conocen con el nombre de Basket-Makers. En consecuencia, el segundo horizonte cultural —cultivo del maíz e invención de la cerámica— no se ha podido localizar en México. Hasta ahora, en todas las exploraciones que se han hecho en la región centroamericana se ha encontrado siempre una cultura tan desarrollada que no puede llamarse de ningún modo primitiva. El origen de esta cultura es todavía un problema por resolver.

El tercer horizonte cultural es característico de México y Centroamérica y está representado por la invención de la escritura y, sobre todo, por la utilización de un calendario ritual llamado "tonalpohualli" entre los mexicanos. Todos los objetos pre-

hispánicos que se exhiben en la Exposición pertenecen a este horizonte o al siguiente.

Por último, como el rasgo cultural más importante y el que caracteriza este cuarto horizonte en la región centroamericana, está la introducción del uso de los metales, que sin duda comenzó pocos siglos antes de la Conquista.

Cuando hablamos de estos horizontes culturales, no queremos indicar con ello una identidad de cultura en todos los pueblos de México y Centroamérica; tampoco queremos decir que la utilización de la cerámica, del calendario o de los metales haya sido contemporánea en toda esta zona geográfica; por el contrario, múltiples culturas, sin duda relacionadas pero también independientes, florecen en esta vasta zona y crean diversos estilos artísticos que las exploraciones arqueológicas han podido situar ya dentro de un orden cronológico relativo, aun cuando en muchos casos no podamos todavía traducir esta cronología en términos de nuestro propio calendario.

Culturas arcaicas. Así, en México, podemos hablar de una primera etapa de culturas "arcaicas", de las que no sabemos ni aun el nombre, y que se encuentran desde El Salvador hasta la Huasteca Veracruzana, siempre en los niveles culturales más profundos. Nada puede comprobar que estas culturas "arcaicas" sean contemporáneas entre sí y es muy difícil señalar rasgos artísticos o estilos comunes a todas ellas, pero, por lo menos desde México hasta Guatemala, el uso del jade para labrar un tipo de figura humana en un estilo que se conoce con el nombre de "olmeca" se encuentra ya en este primer período (láms. 1 y 2).

El segundo período lo constituyen ciertas culturas, todavía innominadas, que llamamos premayas en Guatemala y en el sureste de México, y designamos con el nombre de Monte Albán II en Oaxaca. Esta cultura muestra una fuerte influencia del sur y está caracterizada en la cerámica por ciertos rasgos, como son el uso de cuatro soportes en las vasijas, la decoración "al fresco" y el uso de un soporte de vasija en forma de carrete. No parece que esta segunda etapa cultural haya llegado más al norte de los Estados de Oaxaca y sur de Veracruz, en México, por lo que es muy probable que algunas de las épocas primitivas de la cultura teotihuacana, a la que nos referimos en seguida, sean contemporáneos de esta cultura premaya. Un ejemplo de la magnífica forma en que los alfareros de esta época representaban la figura humana, lo constituye la escultura que encontramos en Monte Albán y que ha sido traída a la Exposición (lám. 22).

Apogeo cultural. Sucede después en todo México y Centroamérica una época de gran florecimiento. En el valle de México, la gran ciudad de Teotihuacán alcanza su máximo esplendor; en Oaxaca, Monte Albán, y, en Veracruz, el Tajín son importantes centros de cultura cuya influencia se hace sentir en vastas zonas; y en el sureste de México y en el norte de Centroamérica la gran cultura maya, en lo que se ha llamado época del Viejo Imperio, alcanza el climax al que llegó la cultura del indio americano.

Es entonces cuando en toda la zona mexicana y centroamericana, probablemente como consecuencia de la creación de grandes imperios o bien de confederaciones de ciudades, que duraron siglos, se crea un estado de paz que permite un desarrollo económico antes no alcanzado, que se refleja en la erección de grandes ciudades, en la dedicación de monumentos esculpidos y en la elaboración de un complejo ritual religioso y funerario.

No podemos todavía decir si este estado de prosperidad terminó por un agotamiento del suelo, que hizo ya imposible el mantenimiento de una población numerosa y próspera, o por una lucha por la hegemonía entre los diversos imperios o por guerras civiles entre las ciudades confederadas. La caída de esos imperios pudo también ser provocada, al menos en parte, por las invasiones de bárbaros que llegaron de las estepas del norte o de las selvas tropicales del sur. Pero es indudable que en todas partes se inicia un período de decadencia y que, en comparación con el antiguo esplendor, el legendario imperio de los toltecas de Tula o la civilización que provocaron en Chichén Itzá, es inferior a lo que ya existía.

Sin embargo, tanto la época de influencia mexicana entre los mayas como el imperio tolteca en el valle de México, son todavía manifestaciones de un gran vigor cultural; pero nuevas hordas de cazadores salvajes se infiltraban constantemente por el norte debilitando los lazos del imperio y creando aquí, como en el Viejo Mundo, la decadencia de la civilización.

Los aztecas. Entre esos cazadores bárbaros venía un grupo pequeño y sin importancia, pero tan enérgico que estaba llamado a desempeñar grandes destinos. Era el grupo que históricamente se conoce con el nombre de azteca. En menos de dos siglos, desde que fundaron su capital Tenochtitlán, actualmente México, en 1324, hasta que sucumbieron en ella al empuje de los españoles en

1521, se transformaron de pequeña tribu nómada, en el gran poder dominador que encontraron los españoles y cuya fuerza hacía temblar a los reyes y caciques desde el Golfo de México hasta el Océano Pacífico.

El arte azteca está indudablemente inspirado e influído por el arte de los toltecas, los teotihuacanos y los otros pueblos que les habían precedido en el dominio del valle de México, pero su naturaleza enérgica y combativa les hizo imprimir a las viejas creaciones cosmogónicas un aspecto tan vigoroso que no encontramos en otras culturas más viejas y refinadas.

Esta concepción azteca plasma el horror de la muerte en cada una de sus creaciones; guerreros al servicio de un dios cruel que exige para vivir la sangre de sus víctimas, perciben con una nitidez especial la eterna tragedia del mundo en el que la vida tiene que arraigarse en la muerte, y este hecho fatal es representado con tal vigor, por ejemplo en la soberbia estatua de Coatlicue (lám. 12), que no podríamos encontrar otra obra de arte en la que fuera expresado en una forma más brutal y rotunda.

Zapotecos y mixtecos. En el valle de Oaxaca la lucha entre los mixtecos, que tenían una cultura relacionada con las más recientes del valle de México, y los zapotecos, que estaban culturalmente conectados con el sur, se desarrolla durante varios siglos. La Conquista sorprende a estos pueblos todavía empeñados en sus luchas seculares.

Si quisiéramos establecer una diferencia estilística entre los mixtecos y los zapotecos, diríamos que los primeros alcanzaron una cultura refinada y exquisita, que se percibe en todo cuanto hicieron: joyas de oro, esculturas en madera y en hueso, códices históricos, cerámica policroma. Los zapotecos, en cambio, se caracterizan como grandes constructores. Las ciudades de Monte Albán y Mitla nos dicen de su originalidad en la concepción y de su ciencia en el acabado de los edificios. La preocupación de otra vida es quizá más constante entre los zapotecos que en ningún otro pueblo de América, como se ve por las innumerables construcciones funerarias, algunas de ellas tan suntuosas como las de Mitla, que no tienen rival en todo el Continente.

Los mayas. En la zona maya, la cultura decadente de los últimos tiempos se manifiesta en el arte que encontraron los españoles al iniciar la conquista de Yucatán. La edad de oro del Viejo Imperio, el renacimiento maya y la época de la influencia tolteca habían pasado ya, y los mayas eran incapaces de soñar en esos momentos en grandes realizaciones arquitectónicas y escultóricas.

Otros pueblos. En esta breve revista de las naciones indígenas de México hay que señalar, aun cuando sólo sea por sus nombres, otros pueblos con grandes manifestaciones artísticas; los huastecos y los totonacas, de Veracruz, hábiles cual ningunos en la escultura en basalto y otras piedras duras; los que llamamos tarascos en Michoacán, Colima y Nayarit, que habían conservado muy viva la influencia de las culturas "arcaicas" y que llegaron en sus esculturas de barro a un naturalismo caricaturesco y a una expresión tan sencilla y simple que no puede ser superada. Desgraciadamente no podemos todavía situar a estos pueblos ni siquiera en un esquema cronológico general como el indicado en estas páginas. Llamamos huastecos, totonacos y tarascos a los objetos que se encuentran en esas zonas, porque eran las que ocupaban esas naciones cuando llegaron los españoles, pero indudablemente no todos los objetos son contemporáneos ni pertenecen a la misma cultura, y hasta es muy probable que, por ejemplo, atribuyamos a los totonacas objetos que fueron hechos muchos cientos de años antes de que esa tribu se estableciera en la parte media del Estado de Veracruz.

Espíritu del arte prehispánico. A pesar de la multitud de culturas y del enorme período cronológico que abarca el arte prehispánico ¿podemos señalar alguna característica fundamental a dicho arte? En mi concepto sí. Hay ciertas ideas que forman como la base de todos los estilos artísticos mexicanos, ideas que se refuerzan conforme las culturas mismas adquieren poderío y que más tarde, en las épocas de decadencia, quedan como el armazón escueto de lo que fuera un edificio lleno de esplendor. Estas ideas, que podemos llamar los motivos centrales del arte prehispánico, son, en primer lugar, la religiosidad, el carácter hierático de cuanto ha llegado hasta nosotros, aun en las artes más humildes y más conectadas con la vida diaria; en los mismos motivos decorativos de la cerámica en-

contramos ese ideal religioso que es tan característico del indio mexicano.

Una segunda idea, que también podemos considerar fundamental, es la realización naturalista de los detalles, mientras que el conjunto es puramente imaginario y conceptual. La observación minuciosa queda expresada en la obra de arte con una exactitud casi fotográfica; pero la obra misma no representa un ser, sino una idea, un producto de la fantasía, un ente que vive sólo en el mundo irreal del mito.

Por último, una tercera idea, que ya ha sido señalada, consiste en transformar cada motivo, en un motivo de decoración; el arte mexicano es un arte decorativo cuyo modo de expresión fundamental es la repetición rítmica. De ahí la necesidad de simetría, y, también, el deseo de cubrir con decoración todo el espacio posible sin dejar grandes superficies lisas.

Cuando en una cultura indígena mexicana el arte está en pleno vigor, estas ideas fundamentales quedan revestidas por la inspiración vigorosa del artista y se atenúa lo que hay en ellas de excesivo; pero en las épocas de decadencia, estos motivos fundamentales aparecen como un esqueleto descarnado; la religiosidad se vuelve hieratismo, el realismo de los detalles se exagera hasta llegar a ocultar la idea fundamental, y el deseo de llenar espacios hace que la obra de arte aparezca sobrecargada y de un estilo excesivamente rico que provoca un deseo de simplicidad.

Estas mismas características del arte mexicano prehispánico las encontramos después en el arte colonial y en el arte popular, aun cuando, por supuesto, modificadas ya por la importación de los ideales europeos. En la exposición que se celebra en este Museo, el público atento podrá notar que el arte mexicano no es un simple nombre dado a las manifestaciones artísticas que se han realizado en una parte del mundo, sino que hay una unidad, una inspiración, un estilo que es propiamente mexicano.

ALFONSO CASO

1 HEAD. Olmec (?). From Mexico City. Jade. 3 7/8 inches high. Both nose and mouth appear to be tattooed. Olmec jade figures are characterized by the joint use of sculptural technique and engraved surface details.

CABEZA. Olmeca (?). Ciudad de México. Jade. Altura, 8.7 cmts. Alrededor de la nariz y de la boca aparenta tener un tatuaje. Las figuras "olmecas" de jade se caracterizan por el empleo conjunto de la técnica escultórica y detalles esgrafiados.

2 SEATED MAN. Olmec (?). From State of Campeche. Jade. 8 1/2 inches high.
HOMBRE SENTADO. Olmeca (?). Campeche. Jade. Altura, 21.8 cmts.

A. TIGER HEAD. Olmec (?). From La Mixteca, Oaxaca. Jade. 4 x 4 15/16 inches. Worn as ornamental breastplate.
   CABEZA DE TIGRE. Olmeca (?). La Mixteca, Oaxaca. Jade. 10.2 x 12.6 cmts. Fue utilizado como adorno pectoral.

3 SEATED FIGURE. Olmec (?). From El Tejar, Veracruz. Black and green stone. 5 9/16 inches high. Many Olmec figures like this have a cavity in the top of the head.

FIGURA SEDENTE. Olmeca (?). El Tejar, Veracruz. Piedra verdinegra. Altura, 14.1 cmts. Muchas de las figuras "olmecas" tienen en la parte superior de la cabeza un agujero o una hendidura.

4　FEMALE FIGURE. Tarascan (?). From State of Colima. Brown earthenware. 11 1/8 inches high. This nude woman with long hair is typical of the simplicity attained by the potters of the states of Colima and Michoacán in their human representations.

FIGURA FEMENINA. Tarasca. Colima. Barro. Altura, 28.3 cmts. Ejemplo típico de la sencillez alcanzada en la representación humana por los alfareros de Colima y Michoacán.

B. MALE FIGURE. Tarascan (?). From Nayarit, Mexico. Brown earthenware. 18 3/8 inches high. With polychrome decoration.
FIGURA MASCULINA. Tarasca (?). Nayarit, México. Barro café. Altura, 46.7 cmts. Decoración polícroma.

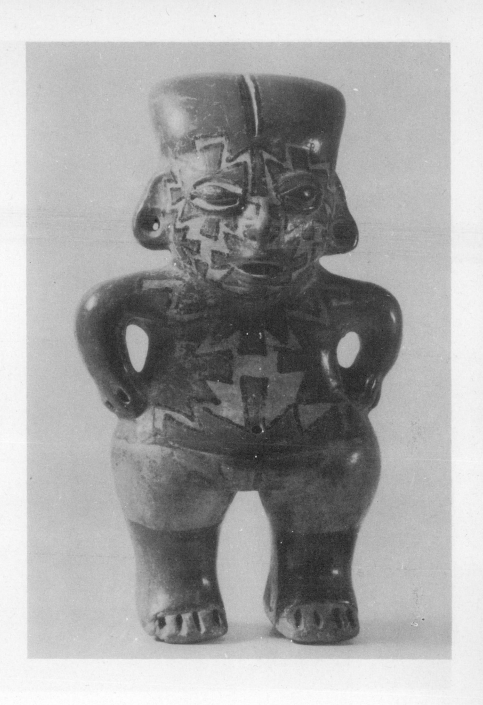

5 FEMALE FIGURE. Tarascan (?). From Chupícuaro, Guanajuato. Brown earthenware. 9 1/16 inches high. The decorations an the figure were probably painted or tattooed. The head and body are painted in red and polished.
FIGURA FEMENINA. Tarasca (?). Chupícuaro, Guanajuato. Barro amarillo. Altura, 23 cmts. Decoración pintada o tatuada en el cuerpo y en la cara. El cuerpo y la cabeza, pintados de color rojo muy bruñido.

6 VESSEL. Tarascan (?). From State of Jalisco. Yellow polished earthenware. 16 5/16 inches high. Representing a hunchback with heavy cane. The portrait is done in caricature.

VASIJA. Tarasca (?). Jalisco. Barro amarillo pulimentado. Altura, 41.5 cmts. Representa un jorobado que camina apoyándose en un grueso bastón. Nótese el realismo caricaturesco de este personaje.

7 TEMPLE OF QUETZALCOATL. At Teotihuacán, Mexico. Detail of the sculptures adorning the temple also known as
   "La Ciudadela" (The Citadel). Civilization Teotihuacán.
   TEMPLO DE QUETZALCOATL. Teotihuacán, México. Detalle de las esculturas que adornan el edificio conocido
   también con el nombre de "La Ciudadela".

C. FRESCO. Mayan, with Toltec influence. From the Temple of Chac-Mool, Chichén-Itzá, Yucatán. 14 5/16 x 11 inches. A warrior seated on a chair representing a jaguar. (Reprod. courtesy of Carnegie Institute, Washington, D. C.)

FRESCO. Maya, con influencia tolteca. Templo del Chac-Mool, Chichén Itzá, Yucatán. 37 x 28 cmts. Representa un guerrero sentado en una silla en forma de jaguar. (Reproducción por cortesía del Carnegie Institute, Washington, D. C.)

8

9

8 MASKS. Teotihuacán. (8) Marble. 7 1/2 inches high. (9) Green stone. 7 1/4 inches high. The bands on this mask
& were filled with polychrome mosaics to represent the facial painting of a god. Teotihuacán masks are characterized
9 by equal height and width.

MASCARAS TEOTIHUACANAS. Procedencia desconocida. La primera es de mármol. 19 x 19.3 cmts.; la segunda
es de piedra verde. 18.5 x 18.4 cmts. Las bandas que se ven en esta última máscara, estuvieron llenas con placas que
formaban un mosaico, representando la pintura facial de un dios. Las máscaras teotihuacanas se caracterizan porque
sus dimensiones máximas, horizontal y vertical, son iguales.

10

11

10 TEMPLE OF XOCHICALCO, Morelos. Decorated with motives of the "Plumed Serpent", representing the great
& cultural hero, Quetzalcoatl. (11) PLAQUE. Xochicalco. Jade. 4 3/16 inches high. Representing a person with a
11 headdress of serpents. This little figure bears a resemblance to the large figures between the undulations of the
serpents of Xochicalco.

TEMPLO DE XOCHICALCO, Morelos. Decorado con figuras de la "Serpiente Emplumada", representación del
gran héroe cultural Quetzalcoatl. La otra figura, de la misma civilización, es una placa de jade. Mide 10.7 cmts. de
altura y representa a un personaje tocado con un gran casco de serpientes, semejante a los que se encuentran entre
las ondulaciones de las serpientes en Xochicalco.

12 COATLICUE. Aztec. From Mexico City. Andesite. 99 1/4 inches high. Large statue of the goddess of earth and death. One of the most important monuments of native art in America, clearly showing fundamental characteristics of Aztec art: mythical subject-matter and naturalism in detail. To understand the representation of this deity, one must remember that the goddess of the earth is also the goddess of death and the mother of gods as well as of men.

COATLICUE. Civilización azteca. Ciudad de México. Andesita. Altura, 2.52 mts. Estatua colosal de la diosa de la tierra y de la muerte. Uno de los monumentos más importantes del arte indígena de América y que con más vigor muestra las características fundamentales del arte azteca, como son la representación mítica y el naturalismo de los detalles. Para entender bien la representación de esta deidad, hay que considerar que la diosa de la tierra lo es también de la muerte, y madre de los dioses y de los hombres.

D. CODEX. Aztec. From Mexico City. Water-color on maguey paper. 16 1/2 x 11 3/8 inches. Page from the pre-Spanish codex called "The Tribute Roll."

CODICE. Azteca. Ciudad de México. Pintado al agua sobre papel de maguey. 42 x 29 cmts. Página del Códice precortesiano llamado "Matrícula de Tributos".

E. VESSEL. Mixtec. From Oaxaca. Brown earthenware. 3 15/16 inches high. A polychrome piece decorated with symbolic motives.

VASIJA. Mixteca. Oaxaca. Barro café. Altura, 6.1 cmts. Esta pieza está policromada y decorada con motivos simbólicos.

13 HEAD OF AN EAGLE KNIGHT. Aztec. From Mexico City. Andesite. 14 15/16 inches high. The Aztecs had two designations for valiant men: Eagle Warriors and Tiger Warriors.

CABEZA DE CABALLERO AGUILA. Azteca. Ciudad de México. Andesita. Altura, 38 cmts. Los aztecas tenían dos grados para designar a los valientes: los guerreros águilas y los guerreros tigres.

14 HEAD. Aztec. Origin unknown. Basalt. 12 3/16 inches high. This head represents a dead man and is typical of human representation in Aztec art.

CABEZA. Azteca. Procedencia desconocida. Basalto. Altura, 31 cmts. Esta cabeza representa un hombre muerto y es muestra característica de la representación de la figura humana en el arte azteca.

F. BREASTPLATE. Mixtec. From Tomb No. 7, Monte Albán, Oaxaca. Gold. 4 5/16 inches high. Represents the God of Death. Made by the "cire perdu" process.

PECTORAL. Mixteco. Tumba número 7, Monte Albán. Oro. Altura, 11 cmts. Representa al Dios de la Muerte. El trabajo en oro está hecho por el procedimiento de "cera perdida".

15 CORN GODDESS. Aztec. Origin unknown. Basalt. 14 9/16 inches high. Called "Seven Serpent" (calendrical name). The goddess wears a headband on which flowers are represented, with two ears of corn hanging at the back. Her hieroglyphic name is carved on the shoulders.

DIOSA. Azteca. Procedencia desconocida. Altura, 37 cmts. Diosa del maíz, llamada "Siete Serpiente" (nombre calendárico). Tocada con una venda en la que se representan flores, y por dos mazorcas de maíz que caen hacia atrás. El nombre jeroglífico está esculpido en la espalda.

16 THE GOD TEZCATLIPOCA. Aztec. From Apapaxco, Churubusco, D. F. Basalt. 32 5/8 inches high. God of the Night-sky and of Providence. Like all Aztec sculptures, this one was polychromed, and still retains some color.
DIOS TEZCATLIPOCA. Azteca. Apapaxco, Churubusco, D. F. Basalto. Altura, 83 cmts. Dios del Cielo Nocturno y de la Providencia. La escultura, como todas las aztecas, estuvo policromada y aún se advierten resto de color en ella.

17

18

17 PUMA AND JAGUAR. Aztec. From Mexico City. Andesite. (17) 11 inches high. (18) 10 1/8 inches high. Notice
& how the fur is carved, and the excarnation of the spinal column and the end of the tail. The jaguar's spots are repre-
18 sented by small cavities.

PUMA Y JAGUAR. Aztecas. Ciudad de México. Andesita. Alturas, 83 y 26 cmts. Nótese la forma de esculpir el pelo
y que la espina dorsal y la punta de la cola se encuentran descarnadas. En el jaguar, las manchas están represen-
tadas por las sombras que se producen en las concavidades.

19 PYRAMID OF TENAYUCA. Tenayuca, Mexico. Aztec temple bordered with serpents. The model exhibited has
& been lent by the American Museum of Natural History, New York.
20 PIRAMIDE DE TENAYUCA. México. Templo de la época azteca circundado por serpientes. La maqueta exhibida
   en la Exposición, es cortesía del "American Museum of Natural History."

21

22

21   (21) VESSEL. Aztec. From the Valley of Mexico. Brown earthenware. 12 inches high. Painted red with the design in
&   black and highly polished. (22) INCENSE BURNER. Aztec. From Tenayuca. Gray earthenware. 3 5/8 inches high.
22   Painted red and polished. The feet represent eagles' heads.

      (21) VASIJA. Azteca. Valle de México. Barro café. Altura, 29 cmts. Cubierta de hermoso baño rojo muy bruñido
y decorada con grecas negras. (22) INCENSARIO. Tenayuca. Barro gris. Altura, 9.3 cmts. Pintado de rojo muy
bruñido. Los soportes representan cabezas de águila.

23   (23) VESSEL. Aztec. From Mexico City. Earthenware. 7 5/16 inches high. Skull-shaped receptacle covered with
&   stucco and fresco painting. (24) DRUM. Nahuan. From Malinalco, Mexico. Sapodilla wood. 34 3/4 inches high.
24   "Teponaztli" or two-tone drum. Probably represents a lion.

    (23) VASIJA. Azteca. Ciudad de México. Barro. Altura, 20 cmts. Vasija en forma de craneo estucada y pintada al
fresco. (24) TEPONAXTLI. Nahua. Malinalco, México. Madera de chico-zapote. 88.4 cmts. Teponaxtli o tambor de
dos sonidos. Probablemente representa un león.

25

26

25   (25) HUMAN FIGURE. Matlatzincan (?). From Calimaya, Mexico. Basalt. 15 3/4 inches high. (26) HUMAN FIGURE.
&   Nahuan. Andesite. 16 1/8 inches high. A dead man, with arms on chest. Fine example of the realism attained by
26   the natives of Mexico.

      (25) FIGURA HUMANA. Matlatzinca (?). Calimaya, México. Basalto. Altura, 10 cmts. (26) FIGURA HUMANA. Nahua.
Andesita. 42 cmts. Representa un hombre muerto; los brazos cruzados en el pecho. Es un magnífico ejemplar del
realismo al que llegaron los antiguos mexicanos.

28

27 THE CASTLE and THE RESTING GOD. Mayan. Chichén-Itzá, Yucatán. The Castle is one of the most remarkable
& monuments erected by the Toltecs in Yucatán. It has Mayan features, but the architecture is influenced by that of
28 the Valley of Mexico. (28) Limestone. 42 1/8 inches high. The Resting God, usually called "Chac-Mool", is common
not only in Yucatán, but also in central and southern Mexico.

(27) EL CASTILLO, CHICHEN ITZA. Monumento notable que dejó la invasión Tolteca en Yucatán. Conserva rasgos
mayas, pero la arquitectura está influenciada por la del Valle de México. (28) DIOS RECOSTADO, vulgarmente
llamado Chac-Mool; muy común no sólo en Yucatán sino en todo el centro y sur de México.

29 DISK. Mayan. From State of Chiapas. Andesite. Diameter 12 1/8 inches. In the center the figure of a god is carved in relief. In the border are some fifteen hieroglyphics, among which are some with numerals.

DISCO. Maya. Chiapas. Andesita. 32.5 cmts. de diámetro. En el centro tiene en relieve la figura de un dios, y en la periferia una serie de quince glifos entre los cuales se distinguen algunos con numerales.

30 HUMAN FIGURE. Zapotec. From Tomb No. 113, Monte Albán, Oaxaca. Brown earthenware. 27 1/8 inches high. The human figure was particularly interesting to the artists of Monte Albán in what we call the II period, which antedates the ancient Mayan Empire. This sculpture seems to relate to the jade statuettes called "Olmecas", which correspond to Monte Albán's I period.

FIGURA HUMANA. Zapoteca. Tumba número 113, Monte Albán. Barro café. 70 cmts. La figura humana fué particularmente interesante para los artistas de Monte Albán, la que hemos llamado época II, anterior al Viejo Imperio Maya. Esta escultura parece relacionada con las figurillas de jade llamadas "olmecas" que corresponden a la época I de Monte Albán.

31 GOD XIPE TOTEC. Zapotec. From Tomb No. 51, Monte Albán, Oaxaca. Brown earthenware. 12 1/4 inches high.
The god is carrying a water-jug. Monte Albán IV period.
DIOS XIPE-TOTEC. Zapoteca. Tumba número 51, Monte Albán. Barro café. Altura, 30.9 cmts. El dios está repre-
sentado cargando una vasija con agua. Pertenece a la Epoca IV de Monte Albán.

32 BRASIER OF THE GOD XIPE-TOTEC. Zapotec. From Tomb No. 58. Period IV, Monte Albán. Oaxaca. Gray earthenware. 14 inches high. In this figure, the face is covered by the victim's skin. In the hand is the flayed man's head.
BRASERO DEL DIOS XIPE-TOTEC. Zapoteca. Tumba número 58, Monte Albán. Barro gris. Altura, 35.3 cmts. En esta figurilla, la cara está cubierta con la piel de la víctima. Lleva en la mano la cabeza de un hombre desollado. Epoca IV de Monte Albán.

33 GODDESS. Huastecan. From Tampico, Tamaulipas. Limestone. 47 1/2 inches high. Notable because of the manifest desire to represent the human figure by straight lines and planes. The conical hat or "copilli" is characteristically Huastecan.

DIOSA HUASTECA. Tampico, Tamaulipas. Piedra caliza. Altura, 1.20 mts. Notable por la representación de la figura humana por medio de líneas rectas y planos. El gorro cónico o "copilli" es característicamente huasteco.

34

35

34 (34) TABLET. Totonac. From Tepatlaxco, Córdoba, Veracruz. Limestone. 72 inches high. Apparently a most advanced
&   work in the Olmec style of Veracruz. (35) TABLET. Huilocintla. From Túxpan, Veracruz. 100 3/4 inches high.
35 Priest of Quetzalcoatl. Though found in the State of Veracruz, this tablet undoubtedly belongs to a different culture.

   (34) LAPIDA DE TEPATLAXCO. Totonaca. Tepatlaxco, Córdoba, Veracruz. Piedra caliza. Altura, 1.83 mts. Parece
ser una representación ya muy avanzada del estilo olmeca en Veracruz. (35) LAPIDA DE HUILOCINTLA. Túxpan,
Veracruz. Altura, 2.55 mts. Sacerdote de Quetzalcoatl. Aunque hallada en Veracruz, seguramente corresponde a
una civilización distinta.

37

36 (36) DOUBLE-HEADED SERPENT. Totonac. From East Coast of Mexico (?). Basalt. 37 inches high. (37) "YOKE."
&   Totonac. Origin unknown. Stone. 16 1/4 inches long. This "yoke" corresponds to the El Tajín civilization of
37   Veracruz. They are found in tombs, placed around heads of the dead.

(36) SERPIENTE BICEFALA. Totonaca. Basalto. Altura, 94 cmts. (37) YUGO. Totonaca. Largo, 41.5 cmts. Este objeto
de piedra llamado "Yugo", corresponde a la civilización de El Tajín, Veracruz. Se encuentran en las tumbas alrededor de la cabeza del muerto.

38

39

38   HUMAN HEAD. Totonac. Stone. 7 1/16 inches high. Objects having concave bases like this are attributed to the
&   Totonacans from the south of the State of Veracruz.
39   CABEZA HUMANA. Totonaca. Piedra. 18 cmts. Los objetos que tienen esa forma cóncava en la base, se atribuyen
     a los totonacas de la región sur de Veracruz.

40 "PALMA" or "PADDLE-STONE." Seated Pelican. Totonac. From Coatepec, Veracruz. Stone. 15 5/8 inches high. Pieces of sculpture of this type are commonly known by the generic name of "Palmas."

"PALMA." Totonaca. Coatepec, Veracruz. Piedra. 39.7 cmts. Las esculturas de esta forma se conocen vulgarmente con el nombre genérico de "Palmas." Esta escultura representa un pelícano.

41 (41) "PALMA." Totonac. From Coatepec, Veracruz. Stone. 20 inches high. Represents a bundle of arrows fastened
& by two cords. (42) "PALMA." 26 9/16 inches high. A man disguised as a bat. The upper part represents the wing.
42 (41) "PALMA." Totonaca. Coatepec, Veracruz. Piedra. Altura, 50.8 cmts. Figura un haz de flechas sujetas por dos
ataduras en dos bandas que se anudan al frente. (42) "PALMA." Totonaca. Coatepec, Veracruz. Altura, 67.5 cmts.
Representa un hombre disfrazado de murciélago. La parte superior es el ala del animal.

COLONIAL ART

When a band of Spanish conquistadors, athirst for glory and fired with ambition, achieved the conquest of Mexico, there came about a great change in the culture of the country. Mexico was plunged headlong into western civilization, her arts, customs and religion became those of Renaissance Europe. The difference observable between Mexican and Spanish work of this early period is due to the inalienable style of the craftsmanship of the Indian hands which place their unmistakable stamp on whatever they make. (Pl. 61.) The indigenous spirit that had previously dominated the creation of works of art was now restricted merely to their actual execution.

Early 16th Century: Medieval. The first period of Mexican colonial art dates from the Conquest, in 1521, to the middle of the century, when the last tribes in the center of the country were subdued. To this period belongs a series of survivals from the Middle Ages: many vigorous structures show elements of the romanesque; gothic architecture persists in the ribbed vaulting of numerous buildings. (Pl. 44.) and mudéjar* art, brought to America by Spaniards and converted Moors, is found in certain celebrated carved wood ceilings. Examples of this first period are the early fortress-houses of the conquistadors and, later, the most typical monuments of mid-sixteenth century New Spain, the fortified churches — clever political devices combining the warlike spirit of the conquest with the meekness and pity of the friars. (Pl. 43.)

In painting, there was a series of attempts made by the Indians themselves, in schools established by the monks, culminating in the frescoes on the walls of the many monasteries erected throughout the country. Lacking examples of fresco, or other kinds of painting, the native pupils copied wood cuts from religious books. As a result, many of the frescoes are in black and white; all are linear in character; and many imitate, on a large scale, the cross-hatched shading of the original wood-blocks.

* Mudéjar in Spanish architecture refers to Christian work built in admiring imitation of the florid late Moorish style —first by converted Moorish workmen, and later by Spaniards.

Native influence expressed itself strongly in sculpture, for stone-carving had been the major art of the Indians. There are still a number of these carvings in which, although the subject matter is European, the technique and even some ornamental motives are Indian. (Pl. 62.)

The Renaissance. The second stage of colonial art corresponds to the Spanish Renaissance. It is the product of a changed society that had been able to lay down its arms and devote itself profitably to agriculture and mining; the conquistador had become a colonist. This period extended from the middle of the sixteenth century down through the first third of the seventeenth.

In architecture, the style known as plateresque in Spain* flourished in churches, in public buildings and the mansions of the colonial nobility. Their great bare medieval walls were relieved by charmingly ornamented plateresque portals.

By the middle of the century, European painters began to arrive. Their style was that prevalent in Spain (they were Italianized Flemings), but later their methods became more frankly Spanish. These three influences, Spanish, Flemish, and Italian, never wholly ceased to contend with one another during the rest of the colonial period. Renaissance monasteries continued to be decorated as heretofore; but that simplicity and ingenuousness so characteristic of the earler medieval monuments was lacking; there was a new love of luxury, exuberance, and sumptuousness. When we look at a work like the great staircase in the monastery at Actopan, we are thrilled: here the Renaissance conquers Mexico.

Sculpture, in the first century of the vice-regal period, was wholly under Andalusian influence, and by the end of the sixteen century, Renaissance

* The early Renaissance style, so-called because of the finesse and richness of its ornaments, rivalling contemporary silversmiths' work. A variety of medieval Renaissance and mannerist decorative elements are often combined with masterful order and harmony.

retables* were being carved, in no way differing from those in the mother country; good examples are at Huejotzingo, Xochimilco, and Cuauhtinchán. Such retables are often enlivened with figures of saints done in polychrome wood (Pl. 63.) and with plateresque architectural features.

In the minor arts, Spain was also imitated, here under strong Moorish influence. An immense number of objects from Spain or Flanders were gifts from kings or were purchased by wealthy religious communities. Gold was worked with exquisite skill in Mexico, for in this the Indian craftsmen were traditionally able. There was also work in wrought iron, furniture was carved in exotic native woods, and as far back as the sixteenth century, embroiderers were at work in Mexico. Certain Indian luxury arts and crafts persisted, such as the wonderful feather-mosaics, in which the Indians had excelled prior to European domination. (Color Pl. G.) Religious pictures and images of saints were made in this technique, and also mitres, church ornaments, and even maps. The most precious examples of this art are now treasured in many European museums.

Mid-17th Century. Early in the seventeenth century, painting flourished in Mexico. Painters who had lived and worked a generation earlier left pupils and followers, and to them were added new painters from Spain. The prosperous condition of the Colony fostered a rich expansion of the arts; churches were filled with pictures, both in the retables and on the walls. (Pl. 55.) The fashion for fresco paintings waned, and cloister walls began to be covered with series of gigantic oil paintings.

New Spain rose to pictorial heights comparable to those of the mother country. The pictorial ideals remained much the same, however, and there are pictures that seem Italian, or submit to Flemish influence, while later tendencies seem more definitely Spanish. But this movement in its entirety continued to belong to the Renaissance: its works are classical, with self-contained emotion, disciplined in their search for sensual, almost pagan beauty.

Architecture, after its plateresque period, had a brief phase in the manner of Herrera (Pl. 46.) ** His dry and severe forms, renouncing every superfluity

*   Retable: Spanish type of altarpiece, often covering the whole end of the church. Within a simple architectural framework in several stories are compartments with reliefs, free-standing figures, or paintings.

**   The severely classicistic architect of Philip II's great monastery palace near Madrid —the Escorial.

could not many win followers in Mexico; only a few works show his puristic impress early in the seventeenth century.

Baroque — Later 17th Century. As the country developed, architecture took on a more varied character. Elements of the former vocabularies survived —plateresque, gothic, or mudéjar. But the inner conception of architecture seems to have changed; one notes, above all, an eagerness for movement that seems to express the unrest of a new country finding its own character. By a new interpretation of already existing ideas, a new art emerged, parallel to that of contemporary Europe — the baroque.

In Mexico baroque architecture produced many noteworthy edifices. The baroque carries with it the germ of elaboration. For the greater wealth of the colonial magnificos, there arose an art correspondingly richer, more sumptuous, more elaborate By the end of the seventeenth century, Mexican baroque architecture had acquired an unmistakable character of its own, particularly in the decoration of church interiors. A great number of these, scattered over certain parts of the land, make Mexico seem a truly baroque country. (Pl. 47.) Churches usually conform to a single general type: they are ample structures, cruciform in plan, with a dome over the crossing. The main portals are elaborately carved in high relief, and the interiors are rich with the gold of the retables and other decorations. The palaces, while retaining earlier features, also welcomed the new style.

Baroque painting begins with the arrival of a few admirers of Zurbarán and Ribera, bringing with them a vigorous art of strong chiaroscuro and severe and limited color schemes, opposed to the brilliant painting of the Italianate masters. This sober art, however, could never suit Mexican taste, any more than could the cold architecture of Herrera. The next painters borrowed only a few characteristics of this new style, such as the strong chiaroscuro, and combined them with the preceding softer, pleasanter and therefore more Mexican style of painting.

When engravings and copies of Rubens' work began to arrive, still another element was added, and the result was that by the end of the seventeenth century there is painting which is essentially baroque. It is not derived from any one country, but draws on many schools, producing a body of work of quite uneven value.

By the end of this century and the beginning of the next, a small group of artists who had assimilated the teachings of their predecessors created yet another distinct style in harmony with the richly decorated church interiors. Here the quality most sought after was gracefulness. Figures, not vigorously drawn, but full of grace and vivacity, seem to move against their golden background like truly celestial spirits. Landscape settings were bluish or golden as in a fantastic and ideal autumn countryside. A good example is the decoration of the sacristy of the Cathedral in Mexico City, and there are many other pictures of this kind, which is perhaps the most purely Mexican style of painting.

Sculpture is particularly well suited to the baroque spirit. Reliefs carved in stone; graceful and delicate decorations in stucco, polished and gilded; rich carvings in cedar (Pl. 66.) gilded and finely burnished; single figures with robes of brocade on a gold ground, and faces and hands delicately flesh-tinted — all these combine to make of our baroque monuments something bearing comparison with those of plateresque Spain, Renaissance Italy, or gothic France.

Contemporary furniture for houses and churches show that same unrest and love of movement; legs of tables and chairs turn and twist like the spiral columns of baroque retables. Iron is wrought into lace-like grilles, railings for balconies, lamps that adorn facades; while inside the houses, rugs, screens, writing tables, lattices, rich velvets and embossed leather recall the sumptuous and evocative interiors of Moorish times. All the arts show that same baroque tendency; Mexico has found her own artistic expression and brilliantly reveals her own personality in the furnishings of her many magnificent palaces.

Churrigueresque. After the kingdom of New Spain had thus developed its own artistic character, baroque art assumed a special form — Mexican churrigueresque. Don José Churriguera* did not, it is now known, have much to do with the artistic movement called after him, but this adjective nevertheless is convenient and accepted. Mexican churrigueresque differs essentially from the earlier baroque; for example, the favorite baroque supporting member was the spiral column; the churrigueresque replaced it with a sort of pier, of which the main section has the form of an inverted obelisk, the whole heavily laden with carved or-

---

* Churriguera (1650-1723), Spanish architect of the celebrated Town Hall and main square of Salamanca in Spain. Narciso Tomé, Pedro de Rivera and Casas y Novoa were those responsible for the most characteristically "churrigueresque" works in Spain.

nament. The baroque still preserved the standard architectural orders; in churrigueresque, prudence and constructive sense were replaced by a design depending rather upon movement and rhythm — structural discipline was relaxed. The fantasy and inventiveness in the organization of gilded high and polychrome sculpture makes each retable seem like something created in a dream. (Pl. 51.)

Churrigueresque invaded everything, from the great churches whose portals have become like retables of stone (Pls. 48 & 49.) and whose interiors are aglitter with gilded carving, to the palaces, the houses, and even the furniture. It was a religious art in its anxiety to make the House of God not only as splendid as possible, but also a sort of celestial vision. In secular architecture, it appears only in ornamental details, in pilasters flanking doors or windows, in keystones, niches, or in the "faldoncitos," or stone lambrequins, which hang below so many windows. As the baroque had taken over elements from other arts, sometimes deriving architectural motives from wood-carving, etc., so the more fanciful churrigueresque borrowed wherever it chose; there resulted theatrical drops hanging from cornices, heraldic draperies, even stone curtains framing a whole building-front. Furniture was sometimes imitated in the claw feet on either side of a doorway. Motives were borrowed from engravings and carved on stone facades.

This exaggeration of the baroque is the incarnation of an epoch and of a people. Spanish critics admit that Mexican churrigueresque, so splendidly bold and so riotous, exercised a certain influence even on the art of Spain herself.

Sculpture, of course, adapted itself admirably to the churrigueresque; if the baroque tended to be sculptural in character, then in the churrigueresque sculpture became architecture.

Retables were carved by men who were primarily sculptors, with saints by special figure-sculptors; joiners assembled all the parts and supplied those needed to hold the whole together; finally, the gilder covered the carving with a thin layer of fine gold and then burnished it with a small agate tool. Faces and hands, however, received a different treatment, known as "encarnación," mat or brilliant. Clothing on figures was finished by yet another process, known as "estofado". For this, the drapery was all covered with gold leaf, like the rest of the retables; the artist marked out the brocade pattern with a punch, filled in the colors, and left the rest in shining gold.

This technique had been known in Mexico since the sixteenth century, but was not fully developed until the eighteenth. (Pl. 67.)

Decline of Painting. Painting sank into a decline during the churrigueresque period. Churrigueresque art, as already stated, was essentially sculptural; the boldest and most handsome retables are without paintings, for they have no flat surfaces interrupting the play of the carving.

Another reason for the decline was the fact that the rapid growth of the Colony greatly increased the demand for paintings and this increased demand was accompanied by a drop in quality. Studios turned out hundreds of canvases, usually lacking in character. To the influences which, in the seventeenth century, had inspired the baroque, there was now added a new and dominant one: that of Murillo. However, it was neither his spirituality nor his realism which was taken over, but rather certain conventions of form and color. Three or four tints were repeated monotonously; faces were invariably rose, drapery was blue or red, backgrounds gray or ochre.

Every engraving that came to Mexico was copied, in indentical pictures turned out by the hundred, filling the monasteries with lives of the saints. There is no church, however small, without three or four samples of this work. It would be impossible to catalogue Mexican painting of the second half of the eighteenth century, but most of the works may be classed as almost worthless. Only a few portraits may be mentioned. (Pl. 58.)

Decorative and Folk Arts. The decorative arts also flourished. Furniture was no longer sober and austere, as in the seventeenth century; for French and even English influences began to enliven outlines, to cover chairs and tables with carving and to make of a piece of furniture not only an article of daily use but also an elaborate work of art.

During this period pottery was developed to an extraordinary degree. "Talavera de Puebla"

had been made in the sixteenth century and by the seventeenth had achieved magnificent specimens. In the eighteenth, it reached an extraordinary apogee. There are churches every square inch of which is covered by the enameled tiles called "azulejos". In no other country are to be found so many buildings covered with tiles, nor such virtuosity in their use. It has often been said that Mexico is the land of domes, and nearly all are covered with glazed tiles.

Ironwork was also developed; railings, grilles and brackets were highly elaborated with wrought scrolls and other designs. Sometimes, as in Oaxaca, the ironwork seems to have come to life like a fantastic vine crawling over walls and becoming entangled in the hollows of the facade.

The popular arts and crafts were also extensively practiced in colonial days and left behind them a charming group of articles of domestic use in which the Indian has put a part of his melancholy and innate gracefulness. Among them may be mentioned such things as the celebrated lacquerware from Uruápan and Olinalá (Pl. 70), the pottery typical of so many different sections of the country, "sarapes" and "ponchos," shawls, linen drawnwork; stamped leather, tooled, fringed, and embroidered in thread and fiber; or the wrought iron of Amozoc, inlaid with silver. And lastly there is the popular painting, which is of such high quality in the eighteenth century that it may be considered, perhaps, the most important painting of the period.

Neo-Classicism. The last years of the colonial period witnessed an artificial and academic revival of the classical style. If, were not for certain great artists who have left us a few buildings (Pl. 53.) and statues (Pl. 69.) and an occasional painting (Pl. 60.) the whole period might be considered negligible. The true spirit of colonial art had passed with the disappearance of the last variations of the vigorous Mexican baroque.

MANUEL TOUSSAINT

ARTE COLONIAL

Cuando la Conquista de México es consumada por un grupo de aventureros españoles, sedientos de gloria y ambición, cambia el aspecto cultural del país. México entra de lleno a la civilización de Occidente: las artes, las costumbres y la religión son las mismas que florecen en la Europa del Renacimiento. El elemento indígena, antes espíritu inspirador de la obra, es ya nada más la mano que la ejecuta (lám. 61). El matiz que diferencia la manifestación mexicana lo da esa mano de obra indígena, que pone un sello inconfundible en sus creaciones.

El siglo XVI. La primera época del arte colonial mexicano corresponde al tiempo de la Conquista, de 1521 a mediados del siglo, en que se someten las últimas tribus levantadas en la parte central del territorio. A esa época pertenece una serie de supervivencias medievales. Un dejo de románico existe en los edificios vigorosamente construídos; la arquitectura gótica persiste en las nervaduras ojivales de las bóvedas (lám. 44), y el arte mudéjar, que moros conversos y españoles contagiados habían traído a América, se deja ver en los famosos "alfarjes" que techan buen número de edificios. Tenemos también las primeras casas de los conquistadores que son pequeñas fortalezas, y, a mediados del siglo, una hábil idea política combina el espíritu belicoso de la Conquista con la piedad y dulzura de los frailes, creando el tipo monástico de esa época, cuyo núcleo es el templo fortaleza, monumento típico de la Nueva España hacia 1550 (lám. 43).

A la pintura corresponde una serie de ensayos ejecutados por los propios indios en escuelas que para eso organizan los religiosos, y su resultado viene a ser la decoración con pinturas al fresco de los numerosos conventos que se construyen en el país. A falta de cuadros y modelos, se copian estampas de libros religiosos grabadas en madera; los frescos en blanco y negro son de carácter lineal y con frecuencia imitan, en gran escala, los trazos de los grabados en madera.

Es en la escultura donde se manifiesta con más vigor la influencia indígena, como que la escultura era la manifestación estética más importante de los pueblos aborígenes. Conservamos cierto número de piedras esculpidas, en las cuales, si el espíritu es europeo, la técnica y aun los motivos ornamentales son indígenas (lám. 62).

El Renacimiento. La segunda etapa del arte colonial corresponde al Renacimiento. Se refiere al estado social que ha abandonado ya las armas para dedicarse a la agricultura y a la labor de las minas: el conquistador se ha convertido en colono. La segunda mitad del siglo XVI y el primer tercio del XVII, es la época en que se desarrolla esta modalidad.

La arquitectura ve florecer la manifestación llamada plateresca en España: sobre los grandes muros medievales, las portadas platerescas vienen a dulcificar su rudeza como una caricia. Los edificios públicos, las casas de los conquistadores y los templos, a fines del siglo XVI, forman parte del capítulo de la historia del arte que en España se llama plateresco.

A mediados del siglo comienzan a llegar pintores europeos; su modalidad es la misma que impera en España, son flamencos italianizantes; más tarde su entonación es ya francamente española. Y esas tres influencias existían en lucha constante durante el resto de la época colonial. Los monasterios siguen siendo decorados como antes; pero no hay ya esa sencillez e ingenuidad de los monumentos primitivos: se busca el lujo, la exuberancia, la suntuosidad. Cuando contemplamos un monumento como la escalera del Convento de Actopan, sentimos estremecernos de emoción: el Renacimiento ha conquistado a México.

La escultura del primer siglo del virreinato está supeditada a la escultura andaluza, y a fines del siglo XVI se labran en México retablos renacentistas semejantes en todo a los de España: así los de Huejotzingo, Xochimilco y Cuauhtinchán. Esos retablos a veces están poblados con santos de escultura en madera policromada (lám. 63), y el conjunto presenta los mismos caracteres renacentistas de la arquitectura plateresca.

En las artes menores se imita también a España, enormemente influenciada aún por las costumbres moriscas. Infinidad de ornamentos de

España y de Flandes son regalados por los reyes o comprados por ricas Comunidades. El oro se trabaja con gran primor, como que los artífices indígenas sabían labrarlo de manera exquisita; se hacen labores de hierro forjado y muebles de fina talla en maderas exóticas del país. Ya desde el siglo XVI los bordadores se dedican a su artística tarea en México. Algunas de las manifestaciones indígenas de las artes suntuarias persisten, por ejemplo los maravillosos mosaicos de plumas, en que sobresalían los indígenas antes de la dominación europea. Se usan frecuentemente para hacer imágenes, para labrar ornamentos y mitras, y hasta para dibujar mapas. Las obras más valiosas de esta manifestación de arte son el asombro de los museos de Europa.

Mediados del siglo XVII. A principios del siglo XVII hay un gran florecimiento pictórico en México; los artistas del siglo anterior habían dejado discípulos; a ellos se vienen a agregar otros pintores que llegan de España. El auge económico de la Colonia permite este rico apogeo de arte: las iglesias se llenan de cuadros en retablos y en muros (lám. 55); pasa la moda de la decoración al fresco y los claustros son cubiertos con enormes series de grandes cuadros al óleo.

La Nueva España alcanza una elevación pictórica comparable con la de la Madre Patria. El criterio plástico sigue siendo el mismo; hay cuadros que a veces parecen italianos, sobre ellos esbózanse influencias flamencas, y, más tarde, una franca orientación hacia España. Pero todo este movimiento es aún plenamente renacentista: son obras clásicas en que la emoción parece estar contenida dentro de sus propios límites, por el ansia de buscar una belleza externa, sensual, casi pagana.

Después de la manifestación plateresca, la arquitectura recibe un pequeño aporte herreriano (lám. 46). Esta arquitectura seca, severa, que huye de todo lo superfluo, no podía tener en México grandes adeptos y así sólo unas cuantas obras son las que muestran la huella de su paso a principios del siglo XVII.

El Barroco. Fines del siglo XVII. Conforme el país se va desarrollando, la arquitectura toma una modalidad diversa. Subsisten elementos anteriores en calidad de supervivencias, así plateresco como góticas y mudéjares; pero el concepto interior de la arquitectura anhela ser otro; hay en ella, sobre todo, una ansia de movimiento que parece querer traducir las inquietudes del nuevo país que ha encontrado una personalidad, y así, utilizando los recursos anteriores, se produce un arte nuevo,

paralelamente al que florecía en Europa: el barroco.

La arquitectura barroca crea en México edificios notabilísimos. El barroco lleva en su propio espíritu un germen de complicación. A la mayor riqueza de los potentados de la Colonia va correspondiendo un arte más rico, más suntuoso, más complicado. A fines del siglo XVII ese barroco ha adquirido en México una personalidad inconfundible, sobre todo en las decoraciones de interiores de templos Un puñado de ellos, repartidos en diversas regiones del país, hace de México un país esencialmente barroco (lám. 47). Los templos se uniforman en un tipo casi general: la gran iglesia de planta cruciforme, con cúpula en el crucero; portadas ricamente cubiertas de relieves y los interiores dorados, llenos de retablos y ornatos. La casa reconoce los antecedentes anteriores, pero adquiere modalidad propia, también barroca.

La pintura barroca se inicia con la llegada de algunos corifeos de Zurbarán y Ribera, que traen el arte vigoroso, de fuerte claroscuro y entonaciones severas, en oposición a la pintura brillante de tendencia italiana. Pero México no podía gustar en exceso de este arte sobrio, así como no gustó de la arquitectura herreriana. Los pintores que siguen toman algunos elementos de este nuevo arte, como el vigor del claroscuro, y lo suman a las características anteriores de la pintura, más suave, más delectable y por ende más mexicana.

Cuando empiezan a llegar copias y reproducciones de las obras de Rubens, hay un nuevo factor que se suma a los anteriores y, como resultante, tenemos a fines del siglo XVII la pintura esencialmente barroca. No puede ser afiliada a ningún país: toma elementos de todas las escuelas y produce un conjunto de obras de desigual valor.

A fines de la centuria y principios del 1700 un pequeño grupo de artistas, que había asimilado las enseñanzas de sus mayores, crea una modalidad especial y de acuerdo con los interiores recamados de ornatos. En esta pintura lo esencial es la gracia. Las figuras, no vigorosamente construidas pero sí llenas de gracia y movimiento, parecen moverse en ese fondo dorado como espíritus verdaderamente celestes. Los fondos son paisajes otoñales, dorados o azules, de países fantásticos, como si la imaginación quisiera presentarnos un mundo mejor. Así está decorada la sacristía de la Catedral de México, y existen numerosos cuadros de esta tendencia que quizás sea la más mexicana de todas las épocas.

La escultura se adapta maravillosamente para el barroco. Los relieves en piedra, los suaves ornatos en argamasa, pulidos y dorados, las tallas riquísimas en madera de cedro finamente pulimentada (lámina 66), o bruñida y dorada; las esculturas aisladas con la ropa estofada y las cabezas y manos con una fina encarnación, hacen de nuestros monumentos algo comparable a la España plateresca, la Italia renacentista, o la Francia ojival.

Los muebles que decoran las casas y los templos responden a la misma ansia y tortura; las patas se retuercen en forma helicoidal, exactamente como las columnas salomónicas de los retablos barrocos. El hierro presta la docilidad de su forjado para hacer rejas que parecen encajes, barandales sobre los anchos balcones, faroles que complementan el ornato de las fachadas, y, dentro de las casas, las alfombras moriscas y turquescas, los cojines de felpa, los biombos, los bufetillos, los guadameciles, las celosías, nos trasladan a aquellos interiores moriscos tan suntuosos y evocadores. Toda la cultura se tiñe de este mismo matiz barroco; México ha alcanzado su personalidad y la expresa brillantemente en todos estos recuerdos de la Metrópoli.

El Churrigueresco. Cuando la personalidad de la Nueva España se ha desarrollado completamente, el arte barroco toma un aspecto especial que nosotros designamos con el nombre de "churrigueresco mexicano", por más que, bien sabido es, Don José Churriguera no tuvo que ver gran cosa en el movimiento artístico que lleva su nombre. Pero la designación es cómoda y aunque sea convencional no vale la pena intentar cambiarla si todo el mundo la entiende. El churrigueresco mexicano varía esencialmente del barroco. El soporte barroco, que consistía sobre todo en la columna salomónica, deja lugar a una pilastra llamada "estípite" que se forma de segmentos de pirámides, paralelepípedos y otras formas, y toda ella se cubre de ornatos. La estructura barroca conservaba como un reflejo de los órdenes arquitectónicos; con el arte churrigueresco toda mesura, toda idea constructiva, aun remotamente, desaparece; es sólo movimiento, sólo ritmo, relieves dorados y esculturas policromadas; se pierde todo sentido de la construcción. Es un arte esencialmente decorativo y escultórico, que hace de cada retablo un rincón de ensueño, un espejismo celeste, una embriaguez (lám. 51).

El arte churrigueresco lo invade todo, desde los grandes templos cuyas portadas son retablos en piedra (láms. 48 y 49) y cuyos interiores deslumbran por el oro de sus tallados, hasta el palacio, las casas y el mobiliario. En esencia, es un

arte religioso; es el afán de hacer la casa de Dios no sólo lo más lujosa posible, sino como un trasunto del cielo. En las otras manifestaciones arquitectónicas, el churriguerismo se expresa sólo en detalles ornamentales: las pilastras que forman las jambas de puertas y ventanas, las claves de arcos, los repisones de los nichos y los "faldoncitos" que cuelgan abajo de muchas ventanas. Como el barroco había utilizado elementos de otras manifestaciones artísticas imitando en sus creaciones arquitectónicas el tallado en madera, el churrigueresco, más fantástico, recurre a cuanto quiere: ora son bambalinas que cuelgan abajo de las cornisas de las casas, draperías que imitan los reposteros de los escudos nobiliarios, y hasta cortinas que enmarcan toda una fachada. Se imitan las maderas de los muebles poniendo unas veces pies de garra a los lados de las puertas; se toman motivos de grabados en cobre y se esculpen finamente para ornatos de las fachadas.

Así, esta manifestación arquitectónica, exageración del barroco, traduce en sí todo el arte de una época y de un pueblo. Los críticos españoles están conformes en admitir que este churrigueresco mexicano, tan fastuoso y tan loco, llegó a ejercer cierta influencia sobre el arte de la propia España.

La escultura se pliega admirablemente al arte churrigueresco, pues si el barroco había sido sobre todo un arte escultórico, en el churrigueresco puede decirse que la arquitectura llegó a ser escultura.

Los retablos son esculpidos por los entalladores; los imagineros se dedican a hacer estatuas de santos; los ensambladores reúnen el conjunto haciendo las piezas necesarias para armarlo y, finalmente, el dorador cubre con una lámina delgadísima de oro fino los tallados y después bruñen el oro en frío con un pequeño instrumento de ágata. Las caras y las manos reciben otro tratamiento: la "encarnación", que puede ser "mate" o "de pulimento". Las ropas de las figuras tienen esa técnica que se conoce con el nombre de "estofado": la estatua es cubierta con oro, igual que el resto del retablo; con un punzón se marcan los dibujos que forman el bordado de la ropa y luego se aplica el color, dejando sin cubrir ciertas partes que simulan dorado sobrepuesto. Esta escultura se hizo desde el siglo XVI en México; pero es en el XVIII cuando adquiere un esplendor y una perfección inusitados (lám. 67).

Decadencia de la pintura. La pintura de la época churrigueresca se encuentra en completa decadencia. El arte churrigueresco fué esencialmente escultórico; los retablos más audaces y más sugestivos carecen de pinturas; no presentan esas superficies planas que interrumpen, en cierto modo, el revuelo de los tallados.

Además, el auge de la Colonia hace que se produzca una demanda excesiva de pinturas, y a esa demanda corresponde un descenso de calidad verdaderamente lamentable. Centenares de cuadros salen de los obradores de los artífices; casi todos ellos sin personalidad, sin vigor. A las influencias que en el siglo XVII habían determinado el barroquismo pictórico, se viene a sumar en forma dominante la de Murillo. Pero no en lo que el maestro andaluz tuvo de espiritual ni de realista, sino en un convencionalismo de forma y sobre todo de color, que reduce la gama pictórica a tres o cuatro colores, constantemente repetidos en una monotonía desesperante: rosada y rubicunda en los rostros, azul y roja en las telas, gris u ocre en los fondos.

Se copian todas las estampas que llegan a México, se reproducen las mismas imágenes por centenares, se llenan los claustros de vidas de santos; no hay iglesia, por pequeña que sea, que no tenga tres o cuatro telas de estos artistas. El catálogo de las pinturas que se hicieron en México en la segunda mitad del siglo XVIII, es imposible de formar; pero estas obras casi carecen de valor. Sólo algunos retratos conservan aún cierta nobleza heredada de los siglos anteriores (lám. 58).

Las artes industriales y populares. Las artes industriales tienen gran florecimiento. No son ya los muebles sobrios del siglo XVII, sino que la influencia francesa y aun la inglesa vienen a retorcer las formas, a cubrirlas de ornatos en relieve, a hacer del mueble no simplemente un objeto de uso, sino un objeto de arte superabundante y excesivo.

La cerámica se desarrolla con gran amplitud en esta época; la llamada "Talavera de Puebla", que se inicia en el siglo XVI, que produce en el XVII ejemplares ya magníficos, en el XVIII alcanza un apogeo extraordinario: hay templos totalmente revestidos con losetas esmaltadas que se llaman "azulejos". Ninguna nación presenta esta característica tan peculiar. Ya se ha dicho que México es el país de las cúpulas, y casi todas están revestidas de azulejos.

El hierro florece con gran exuberancia: barandales, rejas, pies de gallo, ménsulas; todo historiado, todo cubierto de ornatos forjados. Hay veces, como en Oaxaca, que parece que el hierro ha adquirido vida y se ha tornado un vegetal caprichoso que rampa por los muros y se enreda en el menor intersticio de la fachada.

Las artes populares brotan en la época colonial y nos dejan un conjunto delicioso de objetos de uso doméstico, en los que el indio ha puesto parte de su tristeza y de su gracia: las famosas lacas de Uruapan y de Olinalá (lám. 70), las cerámicas de numerosas regiones del país, los sarapes, los rebozos, los deshilados; la labor de cuero finamente trabajado en relieve y con bordados de hilo y de pita, y la obra de hierro forjado de Amozoc, con incrustaciones de plata. Finalmente, la pintura, que merece estudio aparte, pues es de tal importancia en el siglo XVIII, que casi puede asegurarse que la pintura popular salva el arte pictórico de ese siglo.

Neoclasicismo. Las postrimerías coloniales ven un resurgimiento del estilo clásico en una forma completamente artificiosa y rebuscada: el academismo. A no ser por los nombres de algunos grandes artistas que nos dejan unos cuantos edificios (lám. 54) y algunas estatuas (lám. 69), más una que otra pintura (lám. 69), el período en conjunto no tendría ningún interés. Es que ha muerto el verdadero espíritu colonial que terminó para siempre con la desaparición de las últimas modalidades del barroco mexicano.

MANUEL TOUSSAINT

43 AUGUSTINIAN CHURCH in Yecapixtla, Morelos. 1540-1545. Typically gothic 16th century fortress-church with flamboyant rose-window.

IGLESIA AGUSTINIANA DE YECAPIXTLA, Morelos. 1540-1545. Tipo de iglesia-fortaleza de líneas góticas, con una gran roseta sobre la portada.

44 RIBBED GOTHIC VAULT of the Franciscan church at Huejotzingo, Puebla.
BOVEDA GOTICA DE NERVADURAS de la Iglesia Franciscana de Huejotzingo, Puebla.

45 OPEN CHAPEL of the Convent of Tlalmanalco, State of Mexico. Late 16th century. These plateresque archivolts show
Renaissance detail and Indian craftsmanship.

CAPILLA ABIERTA del Convento de Tlalmanalco, Estado de México. Fines del siglo XVI. Estos arcos plateresos
muestran detalles renacentistas ejecutados por manos indígenas.

77 Colonial Art

46 FACADE OF THE CATHEDRAL, Puebla. 1649-1664. Example of herrerian architecture with baroque details. The building was begun in the 16th century, and the facade was completed in 1664.
FACHADA DE LA CATEDRAL DE PUEBLA. 1649-1664. Ejemplar de arquitectura herreriana con detalles barrocos. La construcción se empezó a fines del siglo XVI, y la fachada se terminó en 1664.

47 UPPER PART OF THE NATIONAL LIBRARY. Formerly church of St. Augustin, Mexico City. 17th century. Typical
example of baroque architecture which flourished in Mexico at the end of 17th century. This church was rebuilt after
a fire in the year 1676.

BIBLIOTECA NACIONAL DE MEXICO. Parte superior de la portada. Antiguo templo de San Agustín. Siglo XVII.
Típico ejemplar de la arquitectura barroca que floreció en México a fines de ese siglo. El edificio fué reconstruído
después de haberse incendiado en el año de 1676.

79 Colonial Art

48 SANTA MARIA TONANTZINTLA. Puebla. Late 17th century. Baroque of the Puebla carved stucco school; Indian craftsmanship. Recently restored by local Indians. See plate 68.

SANTA MARIA TONANTZINTLA. Puebla. Fines del siglo XVII. Arquitectura barroca poblana con exuberante ornamentación de manufactura indígena. Recientemente restaurada. Véase detalle, lámina 68.

NUESTRA SEÑORA DE OCOTLAN, Tlaxcala. Alrededor de 1745. La fachada, de un churriqueresco indígena, muestra la combinación de relieves ingenuos y losetas poblanas.

49 NUESTRA SEÑORA DE OCOTLAN, Tlaxcala. About 1745. The
&   facade combines the Puebla brick and stucco styles with the chur-
50 rigueresque.

51 "ALFEÑIQUE" MANSION, Puebla. 1790. Attributed to Antonio de Santa María Incháurregui. Typical Puebla mansion of unglazed red and glazed blue tile with characteristically lively stucco work so light that its resemblance to pastry gives the house its name.

CASA DEL "ALFEÑIQUE", Puebla. 1790. Atribuída a Don Antonio de Santa María Incháurregui. Típica casa poblana revestida de ladrillo y azulejo, con los característicos relieves semejantes a una pasta de azúcar de la cual recibe el nombre.

52 "LA ENSEÑANZA", Mexico City. 1754. Churrigueresque gold retable. Characteristically rich carving.
"LA ENSEÑANZA", Ciudad de México. 1754. Retablo churrigueresco dorado, rica y característicamente labrado.

G. SAINT CATHERINE. Late 17th cent. Feather mosaic. 19 1/8 x 16 15/16 inches. Lent by M. N. Pressed into the service of the church, this celebrated Indian craft was carried on in the early colonial period, for pictures and religious vestments.

SANTA CATARINA. Mosaico de plumas de fines del siglo XVII. 48.5 x 43 cmts. Prestado por el M. N. El arte plumario indígena fue utilizado por la Iglesia en los primeros años de la Colonia para imágenes y ornamentos religiosos.

53 PORTAL OF THE COLLEGE OF SAN ILDEFONSO, Mexico City. 1749. Baroque portal with churrigueresque
    pilasters. Walls faced with red lava "tezontle."
    COLEGIO DE SAN ILDEFONSO, Ciudad de México. 1749. Portada principal, estilo barroco con pilastras churri-
    guerescas y muros recubiertos de tezontle.

54 DOME OF EL CARMEN, Celaya, Guanajuato. Completed in 1804. By Francisco Eduardo de Tresguerras. Academic
reaction to churrigueresque style. The empty bases were to have carried urns or statues.
CUPULA DEL CARMEN, Celaya, Guanajuato. Terminada en 1804. Obra de Francisco Eduardo de Tresguerras. Representa la reacción académica contra el "churrigueresco". Sobre los basamentos debieron colocarse urnas o estatuas.

55 BALTASAR DE ECHAVE ORIO (the Elder). The Agony in the Garden. 1582-1620. 99 9/16 x 62 9/16 inches.
Lent by G. N. P. Renaissance work of thoroughly Spanish type.
BALTASAR DE ECHAVE ORIO (Padre). La Oración en el Huerto. 1582-1620. 253 x 159 cmts. Prestado por las
G. N. P. Obra renacentista, del estilo español que floreció en México.

H. SAINT FRANCIS. Mid-16th cent. Painting on wood. 23 5/16 x 14 9/16 inches. Lent by Mr. Federico Gómez de Orozco. In this work by an anonymous Indian artist can be seen the combination of indigenous popular style and painting of the European primitives.

SAN FRANCISCO. Mediados del siglo XVI. Pintura anónima sobre tabla. 59 x 37 cmts. Colección Gómez de Orozco. En esta obra hecha por un artista indígena, puede verse la mezcla del estilo popular autóctono con la primitiva pintura europea.

56 BALTASAR DE ECHAVE IBIA (the Younger). The Virgin of the Apocalypse. 1620. 74 x 42 5/16 inches. Lent by
G. N. P. The attributes surrounding the Virgin are from similes in the Litany.
    BALTASAR DE ECHAVE IBIA (Hijo). La Concepción de la Virgen. 1620. 188 x 109 cmts. Prestado por las G. N. P.
Los atributos que rodean a la Virgen están tomados de la Letanía.

57 ANTONIO PEREZ DE AGUILAR. Still Life. 1769. Lent by G. N. P. 48 1/16 x 18 7/8 inches.
ANTONIO PEREZ DE AGUILAR. Bodegón. 1769. 122 x 100 cmts. Prestado por las G. N. P.

58   MIGUEL CABRERA. Sor Juana Inés de la Cruz. 1750. 110 9/16 x 88 3/4 inches. Lent by M. N. The celebrated
religious poetess is one of Mexico's greatest literary figures, and this portrait, one of the best known works of this
famous Colonial painter.
MIGUEL CABRERA. Sor Juana Inés de la Cruz. 1750. 281 x 225 cmts. Prestado por el M. N. Este retrato de la
célebre poetisa religiosa, una de las más destacadas figuras literarias de México, es de las obras mejor conocidas
del famoso pintor colonial.

I. "CAMERIN" IN THE CONVENT OF TEPOTZOTLAN. 18th cent. The interlacing ribs of the vault are a Mudéjar survival of Moorish constructions, but the rich color-scheme and profuse ornament are genuinely Mexican in style.

CAMARIN DE TEPOTZOTLAN. Siglo XVIII. Los arcos cruzados de la bóveda denotan una supervivencia Mudéjar, pero la riqueza del color y la profusión del ornato son genuinamente de estilo mexicano.

59 FRIAR PABLO DE JESUS AND FATHER SAN GERONIMO. The Count of Gálvez. 1796. 87 11/16 x 85 3/4 inches.
Lent by M. N. The face and hands are by Friar Pablo de Jesús; the calligraphic horse by Father San Gerónimo.

FR. PABLO DE JESUS Y PADRE SAN GERONIMO. Retrato del Conde de Gálvez. 1796. 222 x 218 cmts. Prestado
por el M. N. La cara y las manos fueron pintadas por Fr. Pablo de Jesús y los rasgos caligráficos del caballero por
el P. San Gerónimo.

60 JOSE MARIA VAZQUEZ. Doña María Luisa Fonserrada y Lavarrieta. 1806. 41 3/4 x 31 1/2 inches. Lent by G. N. P.
Painted by an academic professor. Empire style details of dress and accessories.

JOSE MARIA VAZQUEZ. Doña María Luisa Fonserrada y Lavarrieta. 1806. 106 x 80 cmts. Prestado por el G. N. P.
Obra de un profesor académico. Estilo Imperio, por el traje y demás detalles.

61

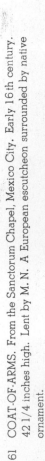

62 COMMEMORATIVE STONE. From Tecamachalco. Puebla. The dates are recorded in two systems, European (1589, 1590 and 1591) and Indian (5-Calli, 7-Acatl). 60 inches high. The legend in Mexican at the top reads: PEVHQVI (begun) (TL)AMICO (completed).

LAPIDA CONMEMORATIVA de Tecamachalco, Puebla. Las fechas están inscritas en dos sistemas: Europeo (1589, 1590 y 1591), e Indígena (5-Calli, 7-Acatl). Aproximadamente de 150 cmts. dealtura. La leyenda er. mexicano dice: PEVHQVI (comenzada) (TL)AMICO (terminada).

61 COAT-OF-ARMS. From the Sanctorum Chapel, Mexico City. Early 16th century. 42 1/4 inches high. Lent by M. N. A European escutcheon surrounded by native ornament.

ESCUDO DE ARMAS. Procede de la Capilla del Sanctorum, Ciudad de México. Prestado por el M. N. Primera mitad del siglo XVI. 107 x 102 cmts. Blasón europeo rodeado de ornatos indígenas.

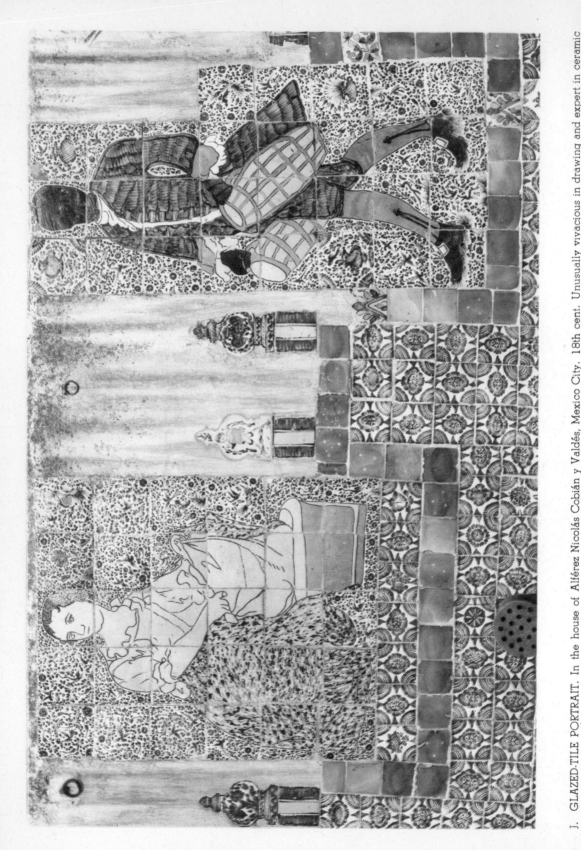

1. GLAZED-TILE PORTRAIT. In the house of Alférez Nicolás Cobián y Valdés, Mexico City. 18th cent. Unusually vivacious in drawing and expert in ceramic technique.

TABLERO DE AZULEJOS. Casa del Alférez Nicolás Cobián y Valdés. Ciudad de México. Siglo XVIII. Representa un personaje de la época y se caracteriza por la viveza del dibujo y la finura de la técnica.

63 SAINT JOHN. From the Treasure of the Cathedral of Mexico City. Late 16th century. 81 3/4 inches high. A late Renaissance work of painted wood. The drapery is entirely covered with gold leaf over which are painted the brocade designs.

SAN JUAN. Procede del Tesoro de la Catedral de México. Fines del siglo XVI. 210 cmts. de altura. Escultura de estilo renacentista, ejecutada en México. Madera tallada, dorada y estofada.

64 SAINT SEBASTIAN. From the Treasure of the Cathedral of Mexico City. Early 17th century. 26 1/2 inches high.
Carved in "tecali" (a native alabaster-like translucent marble), with painted detail. Indigenous workmanship.
SAN SEBASTIAN. Procede del Tesoro de la Catedral de México. Primera mitad del siglo XVII. 68 cmts. de altura.
Tallada en "tecali" (mármol translúcido), y con detalles pintados. Parece trabajo indígena.

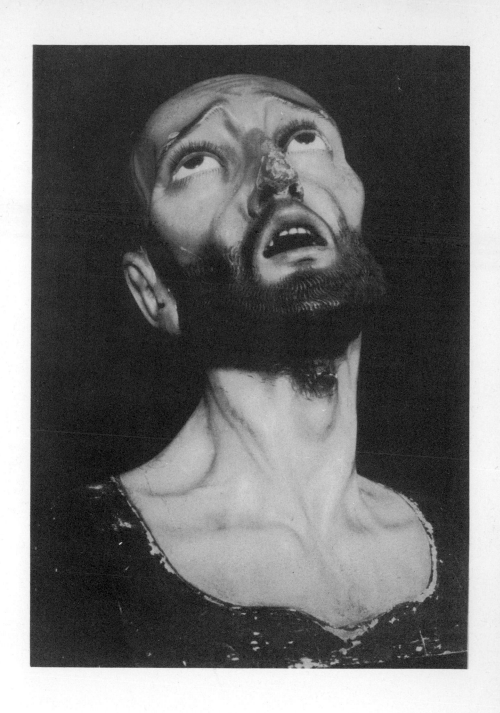

65 SAN DIEGO DE ALCALA. From the Treasure of the Cathedral of Mexico City. 17th century. 15 5/16 inches high.
Painted wood with real eyelashes and teeth, typical of baroque Spanish dramatic realism.
SAN DIEGO DE ALCALA. Procede del Tesoro de la Catedral de México. Siglo XVII. 39 cmts. Talla en madera,
pintada con pestañas y dientes auténticos. Obra típica del realismo dramático español en la época barroca.

66 CHRIST IN MAJESTY. Relief from choir stalls of the ex-church of San Agustín. 17th century. Lent by the National University of Mexico City. Little survives of the larger pieces of 17th century church furniture.
RELIEVE EN MADERA del coro de la antigua iglesia de San Agustín. Actualmente en la Escuela Preparatoria. Cortesía de la Universidad Nacional de México. Obra de fines del siglo XVII.

67 SAINT JOSEPH. From the Treasure of the Cathedral of Mexico City. 18th century. Painted and gilded wood. 51 3/16 inches high.

SAN JOSE. Procede del Tesoro de la Catedral de México. Siglo XVII. Escultura tallada en madera, dorada y estofada. 130 cmts. de altura.

101 Colonial Art

68 MUSICAL ANGEL FROM SANTA MARIA TONANTZINTLA, Puebla. Late 17th century. Indian character in elaborate carved and painted stucco decoration of late 17th century. Village church. See plate 48.
DETALLE DE TONANTZINTLA, Puebla. Finales del siglo XVII. Nótese al carácter indígena de la figura que es buena muestra de la ornamentación de este tipo. Véase lámina 48.

69 MANUEL TOLSA. Charles IV. Mexico City. 1803. 83 inches high. Ordered by Viceroy Branciforte from this famous Spanish sculptor and architect.

MANUEL TOLSA. Carlos IV. Ciudad de México. 1803. 210 cmts. de altura. Fué ordenada para hacerse, por el Virrey Branciforte, y la ejecutó el famoso arquitecto y escultor valenciano.

7

70 LACQUER TRAY ("BATEA"). From Pátzcuaro, Michoacán. 18th century. 28 1/2 inches. Lent by M. N.
   BATEA del siglo XVIII. Procedente de Pátzcuaro, Michoacán. 70 cmts. de diámetro. Prestada por el M. N.

71 SILVER FILIGREE RELIQUARY. 18th century. 11 1/4 inches high. Lent by M. N. With miniature of St. James of Comosptela.
   RELICARIO de filigrana de plata, del siglo XVIII. 28 x 23 cmts. Prestado por el M. N. Miniatura de Santiago de Compostela.

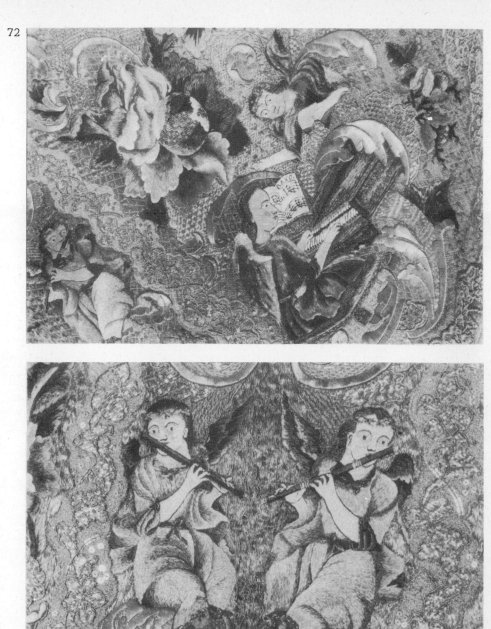

72 EMBROIDERED CHASUBLE. From the Treasure of the Catheral of Mexico City. Early 18th century. Silk and silver
& thread. 49 3/16 inches.

73 CASULLA BORDADA. Procede del Tesoro de la Catedral de México. Primera mitad del siglo XVIII. 125 cmts. de
altura. Trama de seda y plata dorada.

74 BAROQUE SILVER MONSTRANCE. From the Treasure of the Cathedral of Mexico City. 17th century. 23 3/16 inches.
CUSTODIA DE PLATA del siglo XVII. Procede del Tesoro de la Catedral de México. Estilo barroco. 59 cmts. de altura.

75 SILVER CENSER. From the Treasure of the Cathedral of Mexico City. 17th century. Silver. 9 7/16 inches high. Native craftsmanship.

INCENSARIO DE PLATA del siglo XVII. Procede del Tesoro de la Catedral de México. 24 x 15 cmts. Obra popular.

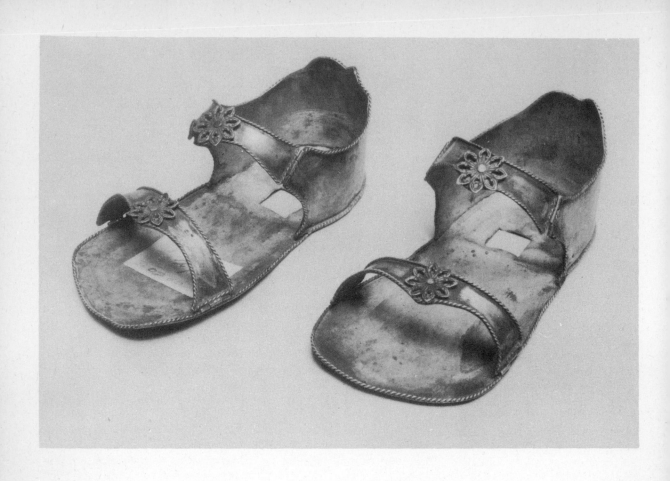

76 SILVER SANDALS FOR A STATUE. From the Treasure of the Cathedral of Mexico City. 2 15/16 inches long.
SANDALIAS DE PLATA para estatua. Proceden del Tesoro de la Catedral de México. 19 cmts. de largo.

FOLK ART

Bernal Díaz del Castillo, in his admirable history of the discovery and conquest of Mexico, testified to the high development of Mexican folk art at the time of the arrival of the Spaniards. In the great market of Tenochtitlán everything imaginable was to be found: jewelry of gold and silver, beautifully engraved; feather mosaics; cotton textiles in marvelous colors; utensils of carved wood, bone, and copper; pottery from Cholula and the land of the Tarascans, extraordinary both in form and decoration; paper made of maguey fibre painted and cut into magnificent ritual ornaments; deer hides expressly prepared for the paintings that were made in great numbers; objects made of shell and mother-of-pearl, carved with great delicacy; and an innumerable variety of other ornaments, essentially plastic in conception, which were used to adorn brilliant garments. The conqueror could not conceal his amazement at the dazzling riches that surrounded him.

The influence of the Spaniards naturally became apparent in these numerous and diverse objects of popular art, but the authentic stamp of the native Mexican craftsman remained dominant and is to this day in whatever he makes or decorates.

Pottery. The conquerors of course brought new models for native industries to copy, but whether they were the Spanish ceramics from Talavera de la Reina (for which Puebla became the local production center) or those brought from China by Spanish galleons, the Mexican craftsmen left upon their products the indisputable touch of their own pictorial grace. Among them may be cited the pottery from the State of Jalisco, particularly from the village of Tlaquepaque, the pottery of Oaxaca, with its special glaze and shapes; that of Michoacán, with the extraordinary variety of styles and designs, from the different villages of Patamba, Huáncito, Santa Fe, and Los Reyes, the toys of Ocumicho; the pottery of Guerrero, which retains the form and decoration of old Mexican pieces — all these show clearly that the contemporary craftsman still guards a tradition antedating the Conquest, which neither time nor foreign domination has been able to disturb. (Pl. 80.)

Weaving. The "sarape" in universal use today throughout Mexico is derived from the Indian "tilma" (a cloak fastened at the neck by a knot), and from the Spanish-Arabian "manta" (a travel blanket), and it is still woven on primitive hand looms in colors authentically Mexican. Defying foreign influence and triumphing over bad taste, there is still maintained the ancient tradition of the beautiful sarapes sold in the nineteenth century at the famous Saltillo Fair — but which were actually made in San Luis Potosí, Aguascalientes, San Juan de los Lagos, and Nuevo León. There are fine sarapes from Jocotepec (State of Jalisco) soberly decorated with stylized roses and framed with fringes and primitive borders in brilliant colors. There are those from Oaxaca, in which a deer, a red rose, or a Mexican flag appears, rather mysteriously, against a somber black or dark gray background, and those from Santa Ana Chautempan, in the State of Tlaxcala. All these display in their magnificent designs the traditional good taste that has been preserved through the years of our bewildering modern civilization which is, in certain ways, the mortal enemy of the primitive popular arts.

The grace and finesse of the native spirit persists likewise in other textile crafts. For example, "rebozos" (shawls) range from the exquisite silks of the seventeenth and eighteenth centuries, with inscriptions and designs woven in gold and silver thread, to those now being made in Santa María and other places in the Republic. Drawn work is executed with incredible delicacy. For their apparel and other cloth articles of everyday use, the Indians make handsome embroideries and textiles. There are also, in certain articles of carved and hammered leather for the trappings of the "charro" and his mount, rich embroideries in gold and silver thread.

Lacquer. The lacquer makers of Michoacán still use the technique of their pre-Conquest ancestors. The "aje," a mucilaginous substance extracted from a tiny insect found in certain cactus plants, is mixed with a white powder called "tepuchuta" and another called "limácata" by men who are both humble workmen and subtle artists. Their wooden platters are decorated with flora and fauna arranged in graceful and colorful ornamental schemes. In spite of the bad taste of purchasers which has, in the case of some objects, constituted an unwelcome influence, the ancient traditions have not been entirely lost, and we still have examples of great beauty and skillful workmanship in which the design stands out magically against the black concave backgrounds.

The boxes and platters from Paracho (State of Michoacán), brightly painted with birds, flowers, and fruit, offer us great variety made by another lacquer process. On some of the boxes of the eighteenth and nineteenth centuries, there are patterns of popular origin whose gracefully drawn human figures provide another example of the artistic instincts of our people.

The lacquerware from Olinalá (State of Guerrero) reveals still another variety of execution and polychrome decoration. The process is like that of Michoacán, except that a second layer of lacquer of a different color is applied and parts of it chipped away to reveal the background — a method which gives an altogether different effect of great ornamental richness. Here also, painted by the same process, birds, fish, and fantastic animals are made from gourds, humorously exploiting the surprising and fantastic gourd shapes. (Color Pl. M.)

Masks. The imagination of the Indians, their tragic nature, their religiousness, their irony, and their skillful craftsmanship are all revealed in their masks, which they make in many unexpected forms. Created for different purposes, they run through a complete gamut of expressions suited to the many ritualistic ceremonies, dances, and carnivals with mixed religious and idolatrous significance. (Pl. 81.) The masks also follow a tradition that stems from magnificent pre-Spanish examples: votive masks of precious stone, and beautifully modeled stone masks of the dead with brilliant mosaics of shell and turquoise laid over them in contrast with the basic expression of horror and death. The dance masks, used in each state of the Republic for religious festivals, retain all the essential characteristics of the ancient traditions. Carved and painted wood makes possible a great variety of types and ex-

pressions. At carnival time, there may still be seen masks of painted cardboard which, in spite of the purpose for which they are made, do not lose the tragic and austere rhythm of the primitive masks.

Popular Painting. Popular painting is extraordinarily abundant in Mexico and reveals the artistic genius of the people. Interesting examples are to be found in portraits, "retablos," still lifes, signs, and commercial decorations which are both daring in spirit and remarkable examples of plastic intuition. Particularly significant are the "retablos". These small ex-voto pictures are usually painted in oil on tin — although some eighteenth century examples are done on canvas or wood. (Pl. 100.) The "retablo" is offered to a saint who has miraculosly saved the donor from death or accident, and it is hung in a church or chapel dedicated to the saint. The painters are anonymous artists who, for a modest price, depict the scene of divine intervention. The story of the miracle as told by the donor is interpreted by the painter with primitive ingenuity and charm and deep religious faith. Ignoring the laws of perspective, he represents the characters, the place, and the event with a direct and naive simplicity, frequently achieving small masterpieces in color, composition, and dramatic feeling. Our great modern painters have found in these "retablos" one of the authentic expressions of Mexican painting.

Ex-votos are also made, generally in silver but sometimes in gold, representing eyes, arms, legs, and other parts of the human body in which the donor has experienced divine healing. These small figures are pinned to the vestments of the saint or to a cushion at his feet. They have been in use since the sixteenth century and are of Spanish origin. (Pl. 103.)

Conclusion. It is impossible to enumerate all the ways in which the folk artisan expresses his love of beauty and his natural esthetic instincts in objects that are not only useful, but which possess force and grace as well. (Pl. 82.) And it should be noted that the objects which the Indian keeps for his own daily use are very different from the articles of commerce whose low quality turns a pure and exquisite art into tourist curios of no great importance. That is the reason why our folk art, in every period, has served as a true symbol of the artistic instincts of the Mexican people.

ROBERTO MONTENEGRO

ARTE POPULAR

Ya Bernal Díaz del Castillo, en su crónica admirable de la conquista de México, nos ofrece un testimonio del desarrollo que habían alcanzado las artes populares mexicanas en el momento en que llegaron los españoles. En el gran mercado de Tenochtitlán se hallaban todas las cosas que puedan imaginarse: joyas de oro y de plata primorosamente labradas, mosaicos de pluma, hilados y tejidos de algodón ornamentados de primorosos colores, utensilios de madera labrada y otros de hueso y de cobre, cerámicas de Cholula y de la tierra tarasca, extraordinarias por su forma y decoración; papeles de fibra de maguey que servían, pintados y recortados, para las magníficas ornamentaciones de sus ritos; pieles de venado preparadas expresamente para las pinturas que hacían en gran cantidad; objetos de caracol y madre-perla, tallados con gran refinamiento, y una variedad innúmera de ornamentos, concebidos con visión plástica, que servían para adornar su vistosa indumentaria. El conquistador no pudo ocultar su asombro y deslumbramiento ante el arte y la riqueza que lo rodeaba.

Cerámica. La influencia de los españoles se hizo sentir naturalmente en los variados y numerosos objetos de arte popular, pero a través de ella persistió el sello autóctono que la mano del indígena ha puesto siempre en cuanto fabrica o decora. Los conquistadores trajeron nuevos modelos para las industrias, como la cerámica de Talavera de la Reina (llamada entre nosotros Talavera de Puebla porque esta ciudad fué y es todavía el centro de su producción), pero los decoradores mexicanos indígenas imprimieron a sus obras el toque indiscutible de su gracia pictórica que, aunque por misteriosa afinidad se enriqueció con la influencia de la cerámica china que traían las naos españolas, conservó siempre su carácter mexicano. Hay que señalar, además, la cerámica de Jalisco, en la que se destaca la de Tlaquepaque; la loza de Oaxaca, caracterizada por su "greta" y por su forma; la cerámica de Michoacán, de extraordinaria variedad de estilos y formas, como la de Patamba, Huáncito, Santa Fe, Los Reyes y los juguetes de Ocumicho; la de Guerrero, que conserva en su forma y su decoración las características de las piezas antiguas mexicanas y revela cómo el artífice contemporáneo sigue obedeciendo los dictados de una tradición anterior a la Conquista que ni el tiempo ni las influencias extrañas han podido alterar (lám. 80).

Tejidos. Los sarapes, de uso cotidiano en la vida popular mexicana, que tienen su origen en las "tilmas" de los indígenas y en las mantas árabe-españolas, se tejen todavía en telares primitivos con sus coloraciones netamente mexicanas.

Desafiando influencias extrañas y sobreviviendo al mal gusto, persiste todavía la antigua tradición de los bellos sarapes que en el siglo XIX se vendían en la Feria de Saltillo y que provenían de San Luis Potosí, Aguascalientes, San Juan de los Lagos y Nuevo León. Se distinguen sobre todo los sarapes de Jocotepec (Jalisco), decorados sobriamente con rosas estilizadas y enmarcados con franjas y grecas primitivas de brillantes colores; los de Oaxaca, en los que aparece misteriosamente el venado, la rosa roja o la bandera mexicana sobre un fondo negro o gris oscuro, y los de Santa Ana Chautempan, en el Estado de Tlaxcala. Todos ostentan en sus magníficas decoraciones las muestras tradicionales de un buen gusto que se ha conservado a pesar del imperio de la mixtificación civilizada que es, en cierto modo, el enemigo mortal de las artes populares primitivas.

La gracia y finura del espíritu indígena persisten también en otras clases de tejidos. En los rebozos, que han variado a través del tiempo, desde los de seda de los siglos XVII y XVIII, con leyendas y decoraciones entretejidas en hilos de oro y plata, hasta los que actualmente se hacen en Santa María y en otros lugares de la República; los deshilados, de increíble delicadeza, y otros bordados y tejidos que usan los indígenas en diversos objetos y prendas de ropa. En los objetos de cuero labrado, destinados principalmente a menesteres de charrería, se acostumbran bordados con hilos de oro y plata.

Lacas. La industria de las lacas en el Estado de Michoacán sigue todavía el mismo procedimiento usado por los indígenas antes de la Conquista.

Con el "aje", sustancia mucilaginosa extraída de un pequeño animal que vive en ciertas cactáceas, mezclado con una tierra blanca llamada "tepuchuta" y con otra llamada "limácata", humildes trabajadores, que son al mismo tiempo refinados artistas, decoran las bateas con una fauna y una flora que reparten en motivos ornamentales llenos de gracia, color y equilibrio. A pesar de que el mal gusto de los compradores suele exigir en algunos objetos influencias extrañas, no se ha perdido del todo la antigua tradición y aún tenemos muestras de admirable preciosismo y hábil ejecución, en las que el dibujo resalta mágicamente sobre el espacio negro y cóncavo de las bateas.

Las cajas y bateas de Paracho (Michoacán), pintadas con exuberancia de pájaros, flores y frutas, nos ofrecen gran variedad de motivos, utilizando otro procedimiento; en algunas cajas de los siglos XVIII y XIX, de dibujo popular, se ven figuras humanas ornamentadas con una gracia que revela de un modo perfecto el instinto artístico de nuestro pueblo. Las lacas de Olinalá (Guerrero) nos ofrecen una nueva variedad de ejecución y de ornamentación polícroma. El procedimiento es el mismo que se sigue en Michoacán, sólo que las figuras son recortadas y rayadas sobre diferentes fondos, con lo que se logra una modalidad completamente nueva, pero de gran efecto ornamental.

Con el mismo procedimiento se trabajan calabazas y "bules" para hacer de ellos pájaros, peces y animales de aspectos caprichosos que, por la distorsión de sus formas y líneas, producen una sensación novedosa y moderna.

Máscaras. La imaginación de los indígenas, su carácter trágico, su religiosidad y sus hábiles procedimientos están plasmados en las máscaras que ejecutan en las formas más variadas e increíbles. Destinadas a usos diversos, recorren una gama completa de expresiones acomodadas a las ceremonias rituales, a las danzas y a los carnavales en los que lo religioso y lo idolátrico se entrelazan y confunden de modo significativo.

Las máscaras siguen el camino de una tradición que viene desde los magníficos ejemplares precortesianos: máscaras votivas en piedras preciosas, máscaras de muertos en piedras duras, de modelado perfecto con mosaicos de turquesa y de concha, contrastando con las líneas en que el horror y la muerte han quedado plasmados en un gesto eterno (lám. 81). Las máscaras de las danzas, que se usan en cada Estado de la República para los festivales religiosos, tienen las características esenciales de las antiguas tradiciones. La madera esculpida y pintada da una variedad de gestos y de tipos, y en los carnavales se utilizan aún máscaras de cartón pintado que sugieren aspectos graciosos y que no pierden, a pesar de su objeto, el ritmo austero y trágico de las máscaras primitivas.

Pintura popular. La pintura popular es extraordinariamente abundante en México y revela las dotes artísticas del pueblo. Hay ejemplares interesantes en retratos, retablos, bodegones, rótulos y decoraciones comerciales que sorprenden por cierto atrevimiento e intuición plástica. Entre todos sobresalen los retablos o ex-votos, pequeñas pinturas al óleo sobre lámina, aunque también hay muestras del siglo XVIII sobre tela o madera (lám. 100). El retablo se dedica al santo que ha salvado milagrosamente al donante de la muerte o de algún accidente, y se cuelga en la iglesia donde el santo se venera. Los pintores de retablos son maestros anónimos que, por un precio módico, pintan el acontecimiento que dió oportunidad a la intervención divina. La relación que del caso hace el donante, la interpreta el pintor con fe religiosa y, sobre todo, con una encantadora ingenuidad de primitivo; sin preocupaciones por las leyes de la perspectiva presenta los personajes, el lugar y el suceso en una forma directa y candorosa, y logra con frecuencia, tanto por el color cuanto por la composición y la intención dramática, pequeñas obras maestras. Nuestros grandes pintores modernos han encontrado que los retablos son una de las ramas del árbol de la pintura mexicana.

El sentido artístico del pueblo. Imposible sería enumerar cada una de las formas en que el artífice popular expresa su amor por la belleza y su natural instinto estético en objetos que no son sólo útiles, sino que ostentan a la vez hermosura y gracia (lám. 82). Hay que agregar que la pureza de estilo y autenticidad de los objetos que el indígena conserva para su particular empleo y uso cotidiano se diferencian extraordinariamente de los objetos que van al comercio, cuyo nivel decae haciendo de un arte trascendental y puro un objeto turístico sin mayor importancia.

Nuestras artes populares, por sí mismas y en todas las épocas, han dado una idea exacta del poderoso instinto artístico del pueblo mexicano.

ROBERTO MONTENEGRO

77 BAKED CLAY TOY. Modern. From San Pedro Tlaquepaque, Jalisco. 2 3/4 inches high. A pendulum-like mechanism permits the acrobat to revolve. Modeled by hand, it shows the consciousness of stylized form traditional in Mexico since archaic times.

JUGUETE DE BARRO COCIDO. Epoca actual. San Pedro Tlaquepaque, Jalisco. 0.07 cmts. Es un acróbata cuya aplicación de péndulo lo sostiene y hace girar. Modelado a mano, acusa un conocimiento estilizado de la forma.

78 EMBROIDERED BEDSPREAD. Modern. From Huixquilulcan, Mexico. 91 x 72 3/4 inches. A beautiful example of the handwork done by the natives of the State of Mexico.

SOBRECAMA BORDADA. Epoca actual. Huixquilucan, México. 2.32 x 1.85 mts. Bello ejemplar de los trabajos realizados por los indígenas del Estado de México.

79 EARTHENWARE POT. Modern. From Metepec, Mexico. 8 5/8 inches. The ingenuity in decoration is typical of the native artist. He often imitates his own drawings, but never repeats them.

OLLA DE BARRO ENGRETADO. Epoca actual. Metepec, México. 0.22 cmts. La ingenuidad de la decoración es característica en el artista indígena, quien puede imitar sus mismos dibujos pero que jamás los repite.

K. CANDELABRA. From Matamoros Izúcar, Puebla. Polychromed terra cotta. 19 3/4 inches high. For funereal use. Such candelabras are of great richness in color. One of the most notable productions of Mexican folk art.

CANDELABRO. Matamoros Izúcar, Puebla. Barro cocido y policromado. Altura, 50 cmts. Se destina a usos funerarios. Estas piezas son de una gran riqueza de color y su forma es de las más notables entre las producciones de arte popular mexicano.

80 EARTHENWARE JAR. Modern. From Tolimán, Guerrero. 22 inches high. The original decoration is pecular to this neighhborhood.

TINAJA DE BARRO COCIDO. Epoca actual. Tolimán, Guerrero. 0.56 cmts. La decoración de las vasijas de esta localidad tiene una rara imaginación en sus decorados.

81 CARVED WOOD MASK. 18th cent. From Toluca, Mexico. 18 1/2 inches high. A rare type formerly used in Holy Week processions by the "Centurions", to give a fearsome aspect to those who guarded the statue of Christ.

MASCARA DE MADERA TALLADA. Siglo XVIII. Toluca, México. Alto: 0.47 cmts. Raro ejemplar que se usaba en las procesiones religiosas, por los llamados "Centuriones", durante la Semana Santa, y cuyo aspecto terrible daba una idea de los personajes que custodiaban a la estatua del Cristo.

82 WHITE EARTHENWARE VASE. 19th cent. From San Pedro Tlaquepaque, Jalisco. 9 inches high. Showing the sensitive imagination of 19th century potters.

VASO DE BARRO BLANCO. Siglo XIX. Tlaquepaque, Jalisco. 0.23 cmts. Muestra de la imaginación delicada de los ceramistas de esa época.

L. TOYS. a) From Metepec, Mexico; b, c, and d) From Tlaquepaque, Jalisco. Polychromed terra cotta. Primitive in form and brilliant in color, these toys reveal the cleverness of Mexican popular ~~artifices~~ artisans.

JUGUETES. a) Metepec, México; b, c, d.) Tlaquepaque, Jalisco. Barro cocido y policromado. Estos juguetes dentro de sus formas primitivas y pintadas con colores brillantes, revelan el ingenio de los artífices populares.

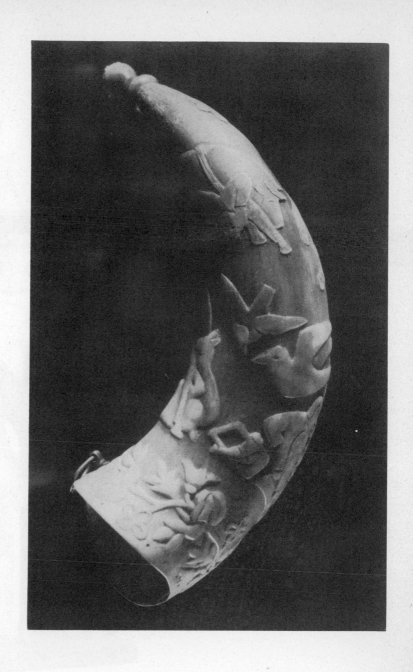

83 HUNTER'S HORN. Modern. From Zacatecas. 10 1/4 inches long. Used by cowherds. The hand carving shows motives derived from hunting themes.

CUERNO DE CAZA. Epoca actual. Zacatecas. 0.26 cmts. Ejemplar tallado a mano, con elementos decorativos alusivos a la caza. Usado por los guardadores de ganado.

84 WHITE EARTHENWARE POT. 19th cent. From Tlaquepaque, Jalisco. 11 inches high. The harmonious designs in
gold and silver are applied by the process known as "water-gilding." Made exclusively for gifts.
JARRA DE BARRO BLANCO. Siglo XIX. Tlaquepaque, Jalisco. 0.28 cmts. Sobre las líneas elegantes de esta pieza
se armonizan motivos decorativos en plata y oro con la pintura llamada al agua. Estas piezas se hacían exclusivamente para regalos.

85 TOY. Modern. From. Ocumicho, Michoacán. 9 inches high. Representing a legendary monster whose floral orna-
mentation contrasts with the fantastic appearance of the animal.

JUGUETE. Epoca actual. Ocumicho, Michocán. 0.23 cmts. Representa un monstruo legendario cuya ornamentación floral contrasta visiblemente con el aspecto de este animal.

M. LACQUER WORK. a and b) From Uruápan, Michoacán; 19 3/4 inches long. c) From Olinalá, Guerrero. 10 1/4 inches long. The first two pieces are made from the "calabaza" fruit whose form is similar to the fish. The lacquer work from Guerrero (c) are usually profusely decorated with flora and fauna motifs.

LACAS. a, b) Uruápan, Michoacán; c) Olinalá, Guerrero. Dimensiones: a) 57 cmts; b) 50 cmts; c) 26 cmts. Las dos primeras piezas están hechas en calabazas o "bules" cuya forma se aprovechó para sugerir los peces. Las lacas de Guerrero, uno de cuyos ejemplos se muestra en la figura c), generalmente están decoradas profusamente con motivos de flora y fauna.

86 POT AND WATER BOTTLE. Modern. From Metepec, Mexico. (86) 8 11/16 inches high. (87) 9 13/16 inches
& high. The ornament is of the same clay, superimposed, with a brilliant green glaze.
87 JARRA Y BOTELLON ENGRETADOS. Epoca actual. Metepec, México. 0.22 x 0.25 cmts. La característica de esta
cerámica es la ornamentación sobrepuesta, del mismo material y de color verde brillante.

88

89

88   EARTHENWARE JARS. 19th century. From Oaxaca. (88) 12 1/4 inches high; (89) 9 13/16 inches high. A type of
&   ornamental jar unfortunately no longer made.
89   JARRAS DE BARRO. Siglo XIX. Oaxaca. 31 x 9.25 cmts. Desgraciadamente se ha perdido el estilo de estos raros
      ejemplares.

90

91

90   MUSICAL INSTRUMENT. Modern. Guanajuato. 35 1/8 x 9 3/4 inches. A lute-like instrument made of wood and
&   the shell of the armadillo. Used only by the musicians of the "conchero" dancers. These instruments are painted and
91   inlaid with decorations referring to the dances.

   INSTRUMENTOS MUSICALES. Epoca actual. Guanajuato. 90 x 25 cmts. Parecido a un pequeño laúd; está hecho
de madera y la caja sonora formada por un carapacho de armadillo. Sirve exclusivamente para los músicos de los
danzantes llamados "Concheros." Estos instrumentos están cubiertos de incrustaciones y de pinturas alusivas a
las danzas.

N. MASKS. a, b, d, and e) From Guanajuato; c and f) From Guerrero; g) from Cherán, Michoacán. Polychromed wood. The dimensions of the above objects vary between 7 inches and 12 inches. These masks, highly imaginative in expression, form and color, are worn in fiestas and religious dances.

MASCARAS. a, b, d, e) Guanajuato; c, f) Guerrero; g) Cherán, Michoacán. Madera tallada y policromada. Sus dimensiones varían entre 18 y 30 cmts. Estas máscaras son usadas para fiestas de Carnaval y Danzas religiosas. La variedad de gestos, color y forma son de una gran imaginación.

92

93

92 PAINTED WOODEN TOYS. Modern. From Silao, Guanajuato. (92) 6 1/4 inches high; (93) 9 13/16 inches high.
&   The artist's skill is seen in the simplicity of both design and coloring.
93 JUGUETES DE MADERA PINTADA. Epoca actual. Silao, Guanajuato. 16 y 25 cmts. Es manifiesta la habilidad
    del artista nativo, tanto en la sencillez como en el dibujo y en el colorido.

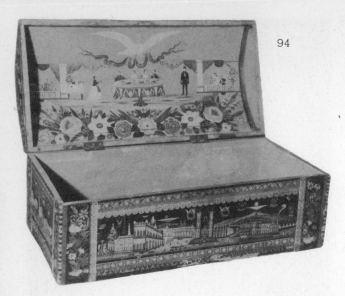

94

95

94 POLYCHROME WOODEN CHEST. Mid-19th century. Olinalá, Guerrero. 15 1/2 x 30 inches. These chests were
& made for gifts by anonymous painters, who achieved a great variety of highly original designs.

95 CAJA DE MADERA POLICROMADA. Mediados del siglo XIX. 39.5 cmts. Olinalá, Guerrero. Hecha especialmente
para regalo. Estas cajas eran pintadas con verdadero cuidado por grandes artistas anónimos que realizaban una
ornamentación de gran variedad.

96 GLAZED EARTHENWARE PLATES. Mid-19th century. From Puebla. (96) 8 3/4 inches; (97) 15 1/2 inches. This
& type of pottery corresponds to the so-called "Talavera de Puebla" which in turn was influenced by the Spanish
97 "Talavera de la Reina". The decorative motives were borrowed in part from 18th century Chinese   which came
to Mexico through the port of Acapulco.

PLATOS DE BARRO VIDRIADO. Mediados del siglo XIX. Puebla. 22 y 39 cmts. Este tipo de cerámica corresponde a la llamada Talavera de Puebla, que derivó sus motivos de la cerámica española llamada Talavera de la
Reina. Estas decoraciones sufrieron influencias de la cerámica china del siglo XVIII, que llegaba por el puerto
de Acapulco.

98

99

98 BLACK EARTHENWARE POTS. Modern. From Coyotepec, Oaxaca. Both 15 1/2 inches high. The sculptural reliefs
& on this type of pottery have an archaic character in keeping with their Mixtec origin.
99 OLLAS DE BARRO COCIDO. Epoca actual. Coyotepec, Oaxaca. 39 cmts. Todas las pequeñas esculturas de
   esta cerámica tienen un carácter arcaico, sobrio y sencillo, que acusa su procedencia mixteca.

101

100

100 RETABLOS. Mid-19th cent. From Guanajuato. (a) 6 7/8 x 10 inches; (b) 5 x 7 1/8 inches. These paintings, depicting
& miraculous events, record the gratitude of those who have been saved by divine intervention. There are groups of
101 them in most of the churches of Mexico.

RETABLOS-PINTURA, EN HOJALATA. Mediados del siglo XIX. Ciudad de Guanajuato. 18 x 23 cmts. Estas pinturas representan acontecimientos milagrosos con que los fieles testimonian su gratitud a un santo. En casi todas las
iglesias de la República existen colecciones de estas pinturas.

102 EARTHENWARE PEDESTAL. Late 19th century. From Tehuantepec, Oaxaca. Serves to support the jar which holds the day's water-supply. The modeling is very characteristic of the region.

COLUMNA DE BARRO COCIDO. Siglo XIX. Tehuantepec, Oaxaca. 95 cmts. Esta escultura sirve para sostener una tinaja donde se conserva el agua que a su vez sirve para el uso cuotidiano.

103 SILVER EX-VOTOS. From different parts of the Republic. In modern tin frame. These ex-votos, like the retablo
paintings, testify to the gratitude of those who have received divine favors. In use since the 16th century, their
origin is Spanish, although the ancient Mexicans placed small commemorative objects near their idols.

EX-VOTOS DE PLATA. Proceden de diferentes partes de la República y, como las pinturas llamadas retablos,
sirven para demostrar el agradecimiento y el recuerdo de alguna gracia recibida. Estas pequeñas figuras de plata
se conccen desde el siglo XVI. Si bien son de procedencia española, los antiguos mexicanos tenían la costumbre
de colocar pequeños objetos conmemorativos cerca de sus ídolos.

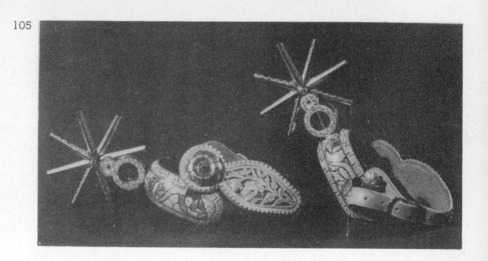

104   SADDLE. Modern. From Puebla. Wood, leather, steel and silver. The richness of materials and workmanship make
&   this saddle, used by "charros" in their promenades, an objet of singular beauty.

105   SILLA DE MONTAR. Epoca actual. Amozoc, Puebla. Largo del fuste: 53 ctms. Madera, cuero labrado y acero
     incrustado. Estos objetos por su factura, son las muestras más características de las artes populares mexicanas y en
     cuyo uso, como atavíos charros, los campesinos ponen todo el lujo y la esplendidez de su manufactura.

MODERN ART

Art was nearly dead in Mexico during the first half of the nineteenth century. The war for independence had exhausted the country; poverty and disorder prevailed under the reactionary empire of Iturbide and the grotesque dictatorship of Santa Anna. Nevertheless, an attempt was made to revive the moribund San Carlos Academy of Fine Arts, and the painter Pelegrín Clavé was brought from Spain in 1847. He introduced the use of living models, organized the first art exhibits and started a group of young students in the groove of academic painting.

In the provinces, obscure painters, unschooled amateurs or simple artisans, supplied a popular demand for family portraits, children's death-bed scenes or pictures of appetizing dishes to hang in the parlors and dining rooms of the local middle classes. They also painted ex-votos, signposts, furniture and walls. Their art possessed a certain innocent charm combined with a passionate, primitive realism. These painters seldom signed their pictures and only a few names have been preserved: José María Estrada, famous for the uncanny likenesses of his portraits (Pl. 109); Uriarte, his teacher; Abundio Rincón, Hermenegildo Bustos, Apolinar Fonseca, painter of luscious still-lifes (Pl. 110); and Francisco de P. Mendoza, who specialized in painting battles (Pl. 111). Theirs was essentially a folk art revealing the spirit of the rising new Mexican middle class.

Juárez and Maximilian. In the meantime, the destinies of the country had passed into the hands of a group of liberals. The leaders of the Reform, influenced by new democratic ideas and by Positivism, fought against the Church and the aristocracy. Juárez consolidated the triumph of liberalism, nationalizing the property of the clergy and separating Church and State. But the reactionaries would not admit defeat, and in 1861 they invited Napoleon III of France to intervene in their behalf, offering the throne of Mexico to the Archduke Maximilian of Austria. During his ephemeral reign, the sentimental Max sought to bring to his empire the elegance and refinement of the courts of the old world, consolidating European art and taste in Mexico. He selected the best student of the Academy, Santiago Rebull, to paint his portraits and to decorate Chapultepec Castle.

The Liberals under Juárez put an end to the Empire, and Maximilian was executed in Querétaro in 1867. A dramatic little contemporary painting portraying this episode is shown in our exhibit (Pl. 112). The only real assets of the Academy at this time were Félix Parra (Pl. 114), and José María Velasco (Pl. 113), two conscientious and honest artists, free from the desire to please fashionable taste.

Díaz Dictatorship. The young Republic turned into a dictatorship under Porfirio Díaz, a renegade liberal who ruled the country for over thirty years, favoring feudal aristocracy and foreign capitalism. The great landowners, yearning for European culture, began collecting European art. To possess a Murillo or any third prize painting from the Paris Salon gave them social prestige. Academism regained official support, and the most promising young artists were sent to Europe to study: Diego Rivera, Roberto Montenegro, "Dr." Atl, Alfredo Ramos Martínez, Goitia and Julio Ruelas among others. But on the whole, bad taste prevailed and in 1903 the Government imported the mediocre Spanish painter, Fabrés, to teach in the San Carlos Academy. They paid fourteen thousand pesos for his portrait of the priest Hidalgo, hero of the Independence, and the Academy purchased his "Drunkards" for eighteen thousand pesos (nine thousand dollars), paying at the same time eight hundred pesos for an Ingres.

Under the dictatorship of Díaz, the mines and haciendas continued to yield fortunes; his friends distributed among themselves the oil and railway concessions, and the luxury and prosperity of the ruling aristocracy had no precedent in Mexico. A telling monument to the spirit of the epoch was the great Opera House, built of Italian marble at a cost of over 7,000,000 pesos, with a limited seating capacity for the privileged. Native art was socially outcast. Mexico put up a Moorish pavilion at the Paris Exposition of 1889. The dictator suppressed with a ruthless hand the growing opposition of the masses to his automatic "reelections"; striking textile workers were shot down by federal troops, political conspirators were murdered, and the Democratic Party was secretly organized in 1909. It was at this time that Rivera made a rapid visit to Mexico and exhibited his work done in Europe. Atl returned from Paris a fiery anarchist in art and in politics; his paintings sent shivers down the spines of the aristocrats and he began to preach nationalism in art.

The Revolution. Shortly afterward, the Mexican people dethroned Díaz, and the art students expelled the arch-conservative director of the Academy, after a tempestuous strike for emancipation. Following the triumph of the Madero Revolution, Alfredo Ramos Martínez, fresh from Paris and an enthusiast of the impressionist school, was appointed director of the new School of Fine Arts. He abolished academic teaching and opened an outdoor school of painting at Santa Anita, where the students could follow the example of mature artists, such as the able landscape painter Joaquín Clausell and the great social painter Goitia. Away from the movement, José Clemente Orozco had already painted his poignant and sombre brothel scenes (Pl. 118), perhaps as a subconscious protest against the mannered impressionists, lovers of the picturesque, of brilliant color and sunshine.

When, in 1913, the bloodthirsty General Huerta assassinated the apostle of the Revolution, Madero, and seized the government, the nation arose against him, and the artists Atl, Orozo, Goitia, Guillemín and the art students Siqueiros, Miguel Angel Fernández, Escobedo, Bolaños, Cabildo, Islas Allende, and many others joined the rebel forces. This was the time of the dashing, sombreroed chieftains, avengers of the Indian peasants: the fabulous warlord Pancho Villa and the insurgent leader Emiliano Zapata, whose battle cry "Land and Liberty" became the slogan of the agrarian revolution Other intellectuals joined the movement, among them José Vasconcelos, who later became instrumental in launching the artistic revolution.

Uncertainty and Disaster. In this atmosphere of uncertainty and disaster, propaganda publications began to flourish. Caricature has always been a powerful political weapon in Mexico. In the time of Juárez the liberal newspaper "La Orquesta" mercilessly attacked conservatives and

imperialists in splendid lithographs by Hernández, Escalante and Villasana (Pl. 140); in the period of the Revolution the ferocious caricatures of Orozco and Cabral made and wrecked political reputations. The illiterate public learned of events and formed its political opinion by means of illustrated "corridos," epic ballads printed on colored paper, sold and sung in market places and military camps. The main supply of these sheets came from an obscure printing shop where the phantasy of the modest engraver José Guadalupe Posada and the naive and morbid subjects he engraved caught the popular fancy (Pl. 141). The public snatched up his "calaveras," grotesque skeletons in ridiculous situations, a sort of fatalistic bravado — poking fun at death which was so conspicuous in those days— combined with a taste for the macabre that has fascinated the Mexicans since pre-Columbian times. On All Souls' Day, Posada brought out collections of such skeletons, referring to prominent politicians and warlords of the time, with a short but disparaging funeral epitaph as caption. Between occupations of Mexico City by warring armies, Orozco in 1915 held an exhibition, in a book store, of his paintings of women of the underworld. Orozco was labeled a cartoonist and the exposition passed almost unnoticed, but a few artists and intellectuals were deeply moved by the stark tragedy in Orozco's subjects and by his tortured and sombre technique.

Art and Revolution. By 1919 the Revolution appeared to have been won. A government of revolutionary artists was set up in Jalisco; the painter Zuno, Governor of the State, along with De la Cueva, Romo and others, called a congress of "soldier-artists" to discuss the new orientations of art and culture, and Siqueiros, Orozco-Romero, and others, were sent abroad. Siqueiros met Rivera in Paris and they fired each other with new esthetic and political ideas. As a result Siqueiros published a manifesto in Barcelona (1921) advocating a new revolutionary art, based on the constructive vitality of Indian art and decrying outworn European ideals. Rivera, who had labored in Paris through a three-year period as cubist, returned to Mexico by way of Italy, where he saw the great frescoes, the Byzantine mural mosaics, and the Etruscan relics that recalled to him the plastic strength of ancient Mexican art.

Artistic Renaissance. In the meantime the stage was rapidly being set for an artistic renaissance: the political and artistic unrest of the artists was ripe; Vasconcelos, just appointed Minister of Education, had embarked upon a vast program in which art — no one yet knew of what sort — was to become an important part; intellectuals turned labor organizers, and carried on active propaganda among artists and workers. New artists were arriving from the provinces and from abroad. From Guadalajara came Amado de la Cueva and Xavier Guerrero. Orozco Romero returned from Europe. From Guatemala came Carlos Mérida, whose Indian subjects, new line and color made a deep impression. From Paris came Charlot with a modern knowledge of techniques and eager for new plastic expression. Felipe Carrillo Puerto, the martyr-leader, Governor of Yucatán, and a staunch believer in the Indian as the regenerator of Mexico, invited Vasconcelos, Rivera and Best Maugard to pulse the social and artistic aspirations of his progressive state. The movement for the redemption of the popular arts, launched a few years before by Enciso, Atl, and Montenegro, was gaining strength. Credit is due to these artists for the first formal exhibition of objects made by the people, and also to Adolfo Best Maugard, who decorated a Mexican ballet for Pavlova (1918) and organized a great fair in Chapultepec Park with popular music and dances (1921). Best Maugard also created a system of drawing for the public schools, taught by a large staff of young artists to about two hundred thousand students of all ages, aimed to counteract the disastrous taste of the epoch.

Mural painting. The young artists had found in Rivera a teacher and a spokesman. His picturesque house became a focus where campaigns were planned, manifestoes were written and plots were hatched. Vasconcelos fulfilled their aspirations for a mural art for the people by turning over to them the walls of public buildings, leaving the artists free to choose their subjects, no matter how radical; he coined the word "uglyists" for those who gave to the Indian peasants coarse features, massive bodies, and great feet. The painters were soon on scaffolds covering walls: Montenegro and Xavier Guerrero decorated an old church turned into a lecture hall and school; the imposing National Preparatory School was allotted to Rivera and his followers, Alva de la Canal, Revueltas, Cahero, Leal, Charlot and Siqueiros (1922-1923). They were all members of the newly formed Syndicate of Painters and Sculptors which published a fighting newspaper, "El Machete," printed in red and black with large, bold woodcuts by its editors: Guerrero, Rivera and Siqueiros. Some painters tried fresco, while others followed Rivera in encaustic painting, a laborious process in which the pigments were

ground into a paste with "copal" resin, wax, and essence of lavender, applied to the wall and melted with a blowtorch into an enamel. Siqueiros painted a powerful burial of a dead worker, a fresco that was mutilated by vandals before it could be concluded. The lone-wolf José Clemente Orozco painted magnificently indignant frescoes: ferocious commentaries on society —"the rich feast while the workers quarrel," a junk heap of insignias and decorations, a debauched drunken Justice, a winking Father God surrounded by devout harpies and ruffians in top hats (1923-1924). Having given vent to his rage, he returned in 1926 to paint his touching peasants and soldiers, Franciscan monks, and mighty conquerors.

It did not take long for the conservatives to boil over with indignant abuse of the painters and their official supporters. They raged against the "defiling of venerable buildings" and skits were written deriding Rivera and his "Dieguitos." Riots were even staged in the Preparatory School; the students, incited by their parents and teachers, stoned and scratched the frescoes, mutilating many of Orozco's. Undaunted, the Minister of Education ordered the painters to decorate other public buildings, and again the artists climbed on their scaffolds, this time with imposing revolvers in their belts.

Rivera went on painting tirelessly for six years (1923-1929), covering the corridors of the Department of Education with Indian markets (Pl. 117), peasants receiving lands, scenes of the Socialist Revolution that Rivera dreamed of, portraits of his heroes: Zapata and Carrillo Puerto; of aristocrats and exploiters humbled by the workers, peasants and soldiers; and finally, the construction of a new Mexico as he envisaged it. There were actual portraits of prominent government officials; Vasconcelos, whose political ideas had disappointed Rivera, was included in a group of impotent intellectuals. A cabinet minister of the time, enraged to find himself painted as a bloated bourgeois, appealed to the President to stop Rivera but Calles was also there, thinly disguised, among Tories, ticker tape, and other symbols of wealth.

The technique of fresco had by that time been perfected after some disheartening first failures. Fresco painting was known and practised in Mexico, probably since the sixth century A. D. It was used to decorate the church-fortresses of the sixteenth century, but it was soon abandoned and forgotten, until revived by Rivera and Orozco. True fresco is painted with earth colors and water on a surface of wet plaster. Only an area that can be completed in a day's work is plastered, the next being prepared the following day and the two joined as inconspicuously as possible. The palette of a fresco painter is limited; Rivera uses only ten colors: six natural earths (oxides of iron), emerald green, two blues, and black. Orozco uses even fewer, resorting freely to an opaque white. Fresco painting requires great technical knowledge, speed, and complete sureness of hand and intent, since no alteration is possible once the plaster dries. These frescoes, which cannot, unfortunately, be shown here, are perhaps the greatest contribution that modern Mexico has made to world art.

Mural painting came to a near standstill with the conservative about-face of Calles. The younger artists were persecuted and many fled with Siqueiros to friendly Guadalajara. Rivera and Orozco eventually moved to the United States, where they had exhibitions and painted murals. They returned years later; Rivera to complete his unfinished fresco at the Government Palace, and Orozco to paint his most important work to date: his frescoes at the State Capitol of Guadalajara, and at the local University and Orphanage. While in Guadalajara, the restless Siqueiros had stopped painting and turned labor organizer, becoming head of the local Miners' Union. In 1930, he returned to Mexico City, only to be thrown into the penitentiary for his political activities. In jail he painted some of his most important pictures, which he exhibited upon being freed a year later. He then left for California, where he experimented with the air-brush, painting in Duco. He returned to Mexico in 1933 to organize a "League against War and Fascism." He next established in New York a workshop for further experiments in lacquer and lithography. When the Spanish war broke out, he joined the Republican army with the rank of lieutenant-colonel and led a brigade on the Jarama front. On his return to Mexico he set up a workshop with other artists, Spanish, American, and Mexican. At present he has nearly completed a mural in the new Electrical Workers' Union building in Mexico City.

Teaching of Painting and Sculpture. In 1925 Ramos Martínez, with the young painters Vera de Córdoba, Díaz de León, Revueltas, Ledesma, and Leal, revived the outdoor schools of painting. This time the pupils were simple boys and girls from the poorer suburbs and small villages, where Indian blood predominates, and who very likely had never looked at a painting. They were free from all prejudice and painted what they saw as well as they could, often creating masterpieces of simplicity, directness, and observation. One of the most interesting was the "School of Direct Stone Cutters," conducted by Guillermo Ruiz. The school was housed in the courtyard of an old convent and had a small zoo that provided models. The students carved charming yet powerful statues of animals, directly from great stone blocks. To this time also belongs the sculptor Mardonio Magaña (Pl. 151), who was already a middle-aged janitor of the outdoor school of painting of Coyoacán when it first occurred to him to carve a statue.

Younger Generations. But it would be wrong to assume that Rivera, Orozco, and Siqueiros represent all the modern art of Mexico. There are many artists whose names make less news, but who nevertheless have played an important part in the movement. Some of them also had a chance to paint murals when the progressive Secretary of Education, Bassols, ordered the construction of functional schools in the poorer districts, designed by the architect-painter Juan O'Gorman. These schools were decorated by O'Gorman, Zalce, Castellanos, Guerrero Galván, Pacheco, O'Higgins, Alva Guadarrama, and Reyes Pérez. Tamayo painted in the School of Music. A year later the walls of the new "Rodríguez" public market were turned over to O'Higgins, Alva Guadarrama, and the new artists Pujol, Bracho, Tzab, Rendón, the American painters Marion and Grace Greenwood, and the sculptor Isamu Noguchi. Antonio Ruiz painted the new building of the Cinematographer's Union, and Revueltas was called to decorate the offices of a bank. A new spirit of collectivism had risen among some artists, perhaps as a reaction against the individualism of Orozco and Rivera. Thus Méndez, Zalce, O'Higgins, etc., submerged their personalities and painted a collective fresco in the government-owned co-operative printing shop.

Not all the artists in Mexico have been active radicals; unruffled by political upheavals, or participating in them mildly, others cultivated easel painting and the graphic arts: Manuel Rodríguez Lozano, the present director of the School of Plastic Arts, a purist who combines daring with refinement of color and line (Pl. 122); his pupil Abraham Angel, whose untimely death cut short one of the most brilliant artistic careers (Pl. 123); Julio Castellanos, whose scant production includes masterpieces of delicate, classic simplicity (Pl. 124); Carlos Mérida, endowed with a fine color sense, whose eagerness for research has led him into the field of the abstract (Pl. 121); Antonio Ruiz, whose minutely painted little pictures are naive, lively, and graceful, and yet have solidity and grandeur. His "Street Meeting" is a candid commentary of a political moment as he saw it.

Others among the younger generation are the versatile and restless Carlos Orozco Romero (Pl. 126); the ironical Agustín Lazo (Pl. 128); the surrealist Frida Kahlo, with a complex and morbid imagination (Pl. 125); María Izquierdo, earthy and vigorous (Pl. 130); Jesús Guerrero Galván, sensitive and tender (Pl. 131). Among the graphic artists it is necessary to mention the great Leopoldo Méndez (Pl. 143), follower of the tradition of Posada; the engravers Díaz de León (Pl. 148) and Fernández Ledesma, also a fine painter (Pl. 129); Gonzalo de la Paz Pérez, Everardo Ramírez, Xavier Guerrero, Alvarado Lang, Feliciano Peña, etc; the lithographers Emilio Amero, maker of fine color prints (Pl. 146), Chávez Morado (Pl. 147), Anguiano (Pl. 149), Arenal, Escobedo, Dosamantes (Pl. 150), Gamboa, Pujol, and many others.

Thus the art of Mexico has reached a turbulent maturity, attained only after a dogged struggle against the bonds that held it fast to the decaying cultures of Europe. The artistic liberation of Mexican art runs closely parallel to the social and political liberation of the nation itself, and if the participation of the artists in this struggle had been less whole-hearted, perhaps modern Mexican art would never have shown its present freshness and vigor.

MIGUEL COVARRUBIAS

ARTE MODERNO

Durante la primera mitad del siglo XIX el arte había muerto en México. La Guerra de Independencia había desangrado al país; la miseria y el desorden crecieron bajo el imperio reaccionario de Iturbide y la dictadura grotesca de Santa Anna. Para revivir la agonizante Academia de Bellas Artes de San Carlos se importó en 1847 al pintor español Pelegrín Clavé, que implantó el uso de modelos vivos, abrió la primera exposición de arte y encaminó a un grupo de estudiantes por el estrecho sendero de la pintura académica.

En el interior de la República pintores oscuros, aficionados sin escuela o simples artesanos pintaban por encargo retratos de familia, niños en su lecho de muerte o apetitosas viandas para las salas o los comedores de la clase media del lugar. Solían pintar también retablos, rótulos, muebles y muros. Su arte tenía cierto inocente encanto y era de un realismo apasionado y primitivo. Estos pintores casi nunca firmaban sus cuadros y sólo se conservan algunos nombres: José María Estrada, famoso por la nimia exactitud de sus retratos (lám. 109); José María Uriarte, su maestro; Abundio Rincón, Hermenegildo Bustos, Apolinar Fonseca, pintor de naturalezas muertas (lám. 110), y Francisco de P. Mendoza, especialista en batallas (lám. 111). Todo este arte era de inspiración popular y revelaba ya el espíritu de la nueva clase media que se iba formando.

Juárez y Maximiliano. Entre tanto los destinos del país habían pasado a manos del grupo liberal. Los hombres de la Reforma, influídos por ideas democráticas y principios positivistas, lucharon contra la Iglesia y la aristocracia. Juárez consolidó el triunfo del liberalismo nacionalizando los bienes del Clero y realizando la separación de la

Iglesia y el Estado. No conformes los reaccionarios, pidieron en 1861 la intervención a Europa y ofrecieron el trono de México al Archiduque Maximiliano de Austria. Durante su efímero reinado, el sentimental Max soñó con importar el refinamiento y la elegancia de las cortes del Viejo Mundo y ayudó a la consolidación del arte y del gusto europeos en México. Escogió al mejor de los discípulos de la Academia, Santiago Rebull, para pintar sus retratos y para decorar el palacio de Chapultepec.

Los liberales de Juárez acabaron con el Imperio, y Maximiliano fué fusilado en Querétaro en 1867. Sobre este episodio hay un dramático cuadrito de la época en nuestra exposición (lám. 112). Los únicos valores reales de la Academia fueron Félix Parra (lám. 114) y el gran paisajista José María Velasco (lám. 113), dos artistas sinceros y honrados que nunca pintaron para halagar a la clientela aristocrática.

La Dictadura de Díaz. La joven república cayó después bajo la dictadura de Porfirio Díaz, liberal renegado que gobernó el país por más de treinta años y favoreció a los señores feudales y al capitalismo extranjero. Los grandes terratenientes, esclavos del gusto europeo, empezaron a coleccionar obras de arte. Era el tiempo en que poseer un Murillo o cualquier tercer premio del Salón de París daba prestigio social. El academismo contó nuevamente con el apoyo oficial y los artistas jóvenes de más porvenir fueron enviados a estudiar a Europa: Diego Rivera, Roberto Montenegro, Atl, Alfredo Ramos Martínez, Goitia y Julio Ruelas, entre otros. Oficialmente seguía el mal gusto y en 1903 el Gobierno trajo al mediocre pintor español Fabrés a enseñar en la Academia de San Carlos. Le pagaron catorce mil pesos por su retrato del Cura Hidalgo, y la Academia compró su cuadro "Los borrachos" en dieciocho mil pesos en el tiempo en que adquirió un Ingres por ochocientos.

Bajo la dictadura de Díaz las minas y las haciendas seguían creando fortunas; los amigos de Don Porfirio se repartían las concesiones de ferrocarriles y petróleo; el lujo y la prosperidad de la aristocracia administrativa no tenían precedente. El espíritu de la época lo revela el palacio para la ópera que se mandó construir en mármol italiano, con un coste de siete millones de pesos y que apenas tenía sitio para lo más granado de la sociedad. Lo mexicano no era bien visto. En la Exposición de París de 1889 México construyó su pabellón en estilo morisco! El dictador ahogó con mano de hierro la creciente oposición de las masas a sus reelecciones automáticas; las tropas federales

disparaban sobre los huelguistas de Río Blanco, se asesinaba a los conspiradores políticos y el Partido Demócrata se fundó secretamente en 1909. Por entonces Diego Rivera hizo una rápida visita a México y expuso sus trabajos de Europa. Atl regresó de París, palpitante de anarquismo y novedades técnicas; sus cuadros escandalizaron y empezó su prédica de nacionalismo en el arte.

La Revolución. Poco después el pueblo arrojó a Porfirio Díaz de su trono y los estudiantes de bellas artes expulsaron al viejo director de la Academia de San Carlos en una huelga tormentosa y libertaria. Al triunfo de la Revolución Maderista el pintor Alfredo Ramos Martínez, que había vuelto de París lleno de entusiasmo por el impresionismo, fué nombrado Director de la Escuela de Bellas Artes; acabó con la enseñanza académica y abrió una escuela de pintura al aire libre en Santa Anita, en donde los estudiantes seguían el ejemplo de pintores ya formados, como el paisajista Joaquín Clausell y el gran Goitia. José Clemente Orozco pintaba, lejos de todos, sombrías escenas de burdel (lám. 118), acaso como una subconsciente protesta contra los amaneramientos pintorescos y luminosos de los impresionistas.

Cuando en 1913 el sanguinario General Huerta asesinó al apóstol Madero y se adueñó del gobierno, todo el pueblo se levantó en masa. Los pintores Atl, Orozco, Goitia y Guillemin, y los estudiantes Siqueiros, Miguel Ángel Fernández, Escobedo, Bolaños, Cabildo, Islas Allende y otros muchos se unieron a las fuerzas rebeldes. Fué entonces cuando los cabecillas de chivarras y enormes sombreros salieron a vengar a los peones indígenas; fué la época del fabuloso Pancho Villa y del insurgente Emiliano Zapata, cuyo grito de "¡Tierra y libertad!" se convirtió en el lema de la revolución agraria. Otros intelectuales se unieron al movimiento, entre ellos José Vasconcelos, quien habría de abrir después las puertas a la revolución del arte mexicano.

Incertidumbre y desastre. En esta atmósfera de incertidumbre y desastre floreció la prensa de combate. La caricatura siempre fué una poderosa arma política en México. Y así como en el tiempo de Juárez el periódico liberal "La Orquesta" atacó sin piedad a conservadores e imperialistas en las espléndidas litografías de Hernández, Escalante y Villasana (lám. 140), en la época de la Revolución las feroces caricaturas de Orozco y de Cabral hacían y deshacían reputaciones políticas. La masa analfabeta del pueblo sabía de la historia del momento por los "corridos", especie de epopeya fragmentaria impresa en hojas sueltas de color, que se cantaba y vendía en los mercados y en los campamentos militares. La mayor parte de estas hojas salían de la imprenta de Vanegas Arroyo, en donde el modesto y genial grabador José Guadalupe Posada (lám. 141) había trabajado casi toda su vida. Su fantasía y sus grabados ingenuos se impusieron a la imaginación popular; gustaba de dibujar grotescos esqueletos con chistera y tacones altos, en situaciones ridículas; tenía un humorismo de panteón, tan oportuno en aquel momento, y su inspiración macabra heredaba algo de aquel gusto por la muerte que apasionó al México precortesiano. En el día de muertos publicaba Posada sus "calaveras", serie de retratos de políticos y otras personalidades "en esqueleto", con un epitafio irónico. En 1915, cuando las tropas de las diversas facciones entraban y salían de la capital, José Clemente Orozco expuso sus pinturas en una modesta librería. Se pensaba que Orozco era caricaturista y la exposición pasó casi desapercibida; pero algunos artistas e intelectuales quedaron hondamente conmovidos por su sentido trágico y su técnica torturada y sombría.

Arte y Revolución. Por el 1919 pareció triunfar la Revolución. Un gobierno de artistas revolucionarios se instaló en Jalisco; el pintor Zuno, Gobernador del Estado, en compañía de Amado de la Cueva, Romo y otros, convocó a un congreso de "pintores-soldados" para discutir las nuevas orientaciones del arte y la cultura. Siqueiros, Orozco Romero y otros fueron enviados al extranjero. Diego Rivera y Siqueiros discutieron apasionadamente en París sobre nuevas ideas de política y arte, y este último publicó después en Barcelona (1921) un manifiesto atacando los ideales europeos y defendiendo la estética revolucionaria y un retorno al vigor constructivo del arte indígena. Rivera, que había vivido en París tres años de cubismo, volvió a México pasando por Italia, en donde estudió los grandes frescos, los mosaicos bizantinos y las reliquias etruscas, que le recordaron la fuerza plástica de los antiguos mexicanos.

Renacimiento artístico. Entre tanto, todo contribuía en México al nuevo renacimiento. La inquietud estética y política de los artistas jóvenes estaba en su punto; Vasconcelos, nombrado Secretario de Educación Pública, tenía un vasto programa en que el arte —no se sabía cuál— ocupaba un lugar importante; algunos intelectuales hacían propaganda sindical entre artistas y obreros. Del interior y del extranjero llegaban a la capital nuevos elementos. De Guadalajara vinieron De la Cueva y Xavier Guerrero, y regresó de Europa Orozco Romero. De Guatemala llegó Carlos Mérida, cuyas obras impresionaron por sus temas indigenistas. Jean Charlot cayó de París, dueño de una técnica moderna y hambriento de nuevas expresiones plásticas. El líder mártir Felipe Carrillo Puerto, que gobernaba Yucatán y tenía fe en que México se salvaría por el indio, invitó a Vasconcelos, Rivera y Best Maugard a que pulsaran las aspiraciones artísticas y sociales del pueblo yucateco. Ganaba fuerza el movimiento en favor de las artes populares que, años antes, habían iniciado Jorge Enciso, Atl y Montenegro, a quienes se debe la primera exposición formal de objetos fabricados por el pueblo, y Best Maugard, que decoró un "ballet" mexicano para la Pavlova (1918) y organizó en Chapultepec un festival de danzas populares, y que contrarrestó el mal gusto de tono europeo creando para las escuelas nacionales un sistema de dibujo que llegaron a practicar cerca de doscientos mil estudiantes de todas edades.

Pintura mural. Los artistas jóvenes encontraron en Diego Rivera un maestro y un campeón. En la casa de éste se preparaban las batallas, se escribían los manifiestos, se fraguaban los complots. Vasconcelos cumplió su anhelo de crear un arte para el pueblo entregando a los artistas los muros de los edificios públicos, y aunque tachaba de "feísmo" las figuras indígenas de labios gruesos, cuerpos bastos y pies cuadrados, que hacían los pintores, dejó a éstos en libertad para escoger sus temas, por más radicales que fueran. Simultáneamente los artistas subieron a los andamios: Montenegro y Xavier Guerrero decoraron la vieja iglesia de San Pedro y San Pablo, dedicada a sala de conferencias, y la escuela anexa. El imponente edificio de la Escuela Nacional Preparatoria fué entregado a Diego Rivera y su grupo: Alva de la Canal, Revueltas, Cahero, Leal, Charlot y Siqueiros (1922-1923), miembros todos del Sindicato de pintores y escultores, que publicó un periódico radical de combate, "El Machete", impreso en rojo y negro. Algunos pintores ensayaron el fresco; otros siguieron a Rivera y pintaron a la encáustica, procedimiento complicado en que los colores se muelen con copal, cera y esencia de espliego, y se funden después a fuego en el muro como un esmalte. Siqueiros pintó un vigoroso entierro de un obrero, que manos criminales destruyeron antes de terminado. El hosco e independiente Orozco pintó grandes frescos, magníficos de indignación, mostrando banquetes de ricos y luchas de trabajadores, basureros de insignias y condecoraciones, una Justicia borracha, un Padre Eterno guiñando complicidad, rodeado de viejas beatas y rufianes de levita (1923-1924). Ya desahogado, pintó conmovedores campesinos y soldados, frailes franciscanos y fuertes conquistadores.

No tardaron mucho los conservadores en deshacerse en ataques contra los pintores y sus defensores en el Gobierno. Se habló de que "estaban profanando edificios venerables", y las zarzuelas ridiculizaron a Rivera y sus "Dieguitos". Los estudiantes, azuzados por sus familias, hicieron un ruidoso motín, apedrearon los frescos y dañaron irreparablemente algunos de Orozco. El Secretario de Educación, inconmovible, ordenó que siguiera la decoración de los edificios públicos. De nuevo ascendieron los pintores a sus andamios, esta vez armados de pistolas.

Diego Rivera trabajó sin descanso durante seis años (1923-1929); pintó en los muros de la Secretaría de Educación fiestas indígenas, ferias y mercados (lám. 117), manifestaciones obreras, distribuciones de ejidos, escenas de la esperada revolución socialista, retratos de Zapata y de Carrillo Puerto, escenas de aristócratas y explotadores humillados por obreros, campesinos y soldados, y, finalmente, la reconstrucción de México. Retrató a personajes políticos y miembros del gobierno, entre ellos a Vasconcelos, cuyas ideas políticas no compartía, en medio de un grupo de impotentes intelectuales. Un Secretario de Estado, furioso porque se descubrió entre los burgueses, pidió al Presidente que interviniera, pero Calles no quiso hacerlo porque se encontró también, ligeramente disfrazado, entre los magnates que consultaban las cotizaciones de bolsa.

Por entonces la técnica del fresco, después de desconsoladores fracasos, se había perfeccionado. El procedimiento había sido conocido en México probablemente desde el siglo VI. En el siglo XVI, a raíz de la Conquista, se usó para decorar los primeros conventos. Hacía mucho que había sido olvidado cuando Rivera y Orozco lo reviven. Para la pintura al fresco se usan tierras de color y de agua sobre una superficie de mezcla húmeda de la que se prepara diariamente la extensión que se va a pintar, cuidando que las diversas partes queden bien unidas. La paleta del pintor al fresco es muy limitada: Rivera usa sólo diez colores (seis tierras naturales de óxidos de fierro, verde esmeralda, dos azules y negro) y Orozco menos, con la peculiaridad que recurre constantemente a un blanco opaco. La pintura al fresco requiere abundantes conocimientos técnicos, rapidez de ejecución, seguridad de mano y de propósito, pues no es posible corregir una vez que la mezcla está seca. Los frescos mexicanos de nuestro tiempo, de los que es imposible dar una idea aquí, son sin duda la más alta contribución del México moderno al arte universal.

La decoración mural casi se paralizó cuando los artistas revolucionarios empezaron a ser perseguidos. Siqueiros y un grupo de pintores huyeron a Guadalajara. Rivera y Orozco acabaron por salir a los Estados Unidos, donde expusieron sus obras y trabajaron en pinturas murales. Volvieron a México años después, el primero a terminar su gran fresco en el Palacio Nacional, y Orozco a realizar sus obras maestras en el Palacio del Gobierno, la Universidad y el Hospicio de Guadalajara. En esta ciudad el inquieto Siqueiros se dedicó de lleno al laborismo y dirigió el Sindicato de Mineros. Al volver a México fué encarcelado por cuestiones políticas: al salir libre expuso los importantes cuadros que había pintado en la prisión. Fué luego a California, donde ensayó la pintura en duco. Al volver a México en 1933 organizó la "Liga contra la guerra y el facismo". Estableció después en Nueva York un taller de lacas y litografía. Durante la Revolución Española se afilió en las filas republicanas, alcanzó el grado de teniente coronel y mandó una brigada en el frente de Jarama. Al volver a México instaló un taller con artistas mexicanos, americanos y españoles. Actualmente decora el nuevo edificio del Sindicato de Electricistas.

Escuelas de pintura y escultura. En 1935 Alfredo Ramos Martínez, con los jóvenes pintores Vera de Córdoba, Díaz de León, Revueltas, Fernández Ledesma y Leal, revivieron las escuelas de pintura al aire libre. Su población escolar la formaban niños de los barrios más pobres y de los poblados próximos a la capital, en su mayoría indígenas, que acaso nunca habían visto un cuadro. Pintaban lo que veían, y a veces lograban obras maestras de sencillez y fina observación. Otro ensayo interesante fué la "Escuela de talla directa", que dirigía el escultor Guillermo Ruiz. En el patio de un viejo convento había animales sueltos o enjaulados que los estudiantes copiaban directamente en bloques de piedra. A esta época pertenece el escultor Mardonio Magaña (lám. 151), hombre ya maduro, a quien siendo portero de la escuela de arte de Coyoacán, se le ocurrió un día empezar a labrar piedra.

Nuevas generaciones. Pero el arte moderno no es sólo Rivera, Orozco y Siqueiros. Hay una multitud de artistas cuyos nombres no aparecen tanto en la prensa, pero que han participado en el movimiento. Nueva ocasión para la pintura mural la ofrecieron las escuelas funcionales que el progresista Secretario de Educación Bassols hizo construir en los barrios pobres de la ciudad bajo la dirección del arquitecto y pintor Juan O'Gorman. Dichas escuelas fueron decoradas por O'Gorman, Zalce, Castellanos, Guerrero Galván, Pacheco, O'Higgins, Alva Guadarrama y Reyes Pérez. Tamayo decoró el Conservatorio de Música. Un año después los muros del mercado "Abelardo Rodríguez" fueron entregados a O'Higgins, Alva Guadarrama y a los jóvenes artistas Pujol, Bracho, Tzab, Rendón, las pintoras americanas Marion y Grace Greenwood y el escultor Isamu Noguchi. Antonio Ruiz decoró el Sindicato de Cinematografistas y Fermín Revueltas el Banco Hipotecario. Un espíritu de colectivismo animó a algunos artistas, acaso como una reacción contra el individualismo de Orozco y Rivera. Acallando su personalidad, Méndez, Zalce, O'Higgins y otros pintaron un fresco colectivo en los Talleres Gráficos de la Nación.

No todos los artistas han sido radicales activos. Lejos de las luchas políticas o participando en ellas a medias, otros cultivaron la pintura de caballete y las artes gráficas: Manuel Rodríguez Lozano, actual Director de la Escuela de Artes Plásticas, un purista que combina refinamiento de color y audacia de línea (lám. 122); su discípulo Abraham Angel, cuya muerte prematura tronchó una de las más brillantes carreras (lám. 123); Rufino Tamayo, sensitivo y preciso, con un sentido de armonía de color y forma; Julio Castellanos, cuya escasa producción ha dado ya obras maestras de clásica simplicidad (lám. 124); Carlos Mérida, a quien un fino sentido del color y una sana inquietud lo han llevado al campo de lo abstracto (lám. 121); Antonio Ruiz, cuyas minuciosas pinturas tienen solidez y gracia; su "Mitin" es un ingenuo y vital documento.

Otros de la generación más joven son el versátil e inquieto Carlos Orozco Romero (lám. 126); el irónico Agustín Lazo (lám. 128); la suprarrealista Frida Kahlo, de fantasía morbosa (lám. 125); María Izquierdo, terrenal y vigorosa (lám. 130); Jesús Galván, de ambientes y espíritu sensitivos (lám. 131). Entre los que se han dedicado a las artes gráficas hay que mencionar al gran Leopoldo Méndez (lám. 143), continuador de la tradición de Posada; a los grabadores Díaz de León (lám. 148); Fernández Ledesma, también excelente pintor (lám. 129); Gonzalo de la Paz Pérez, Everardo Ramírez, Xavier Guerrero, Alvarado Lang, Feliciano Peña, etc.; los litógrafos Emilio Amero, autor de interesantes litografías en color (lám. 146); Chávez Morado (lám. 147), Anguiano (lám. 149), Arenal, Escobedo, Dosamantes (lám. 150), Gamboa, Pujol y muchos otros.

El arte de México ha llegado así a una recia y turbulenta madurez después de romper las cadenas que lo ataron durante años a una tradición caduca. La liberación del arte de México ha seguido un camino paralelo a la liberación político-social de la nación, y si la participación de los artistas en esta lucha hubiera sido menos ardiente, acaso nunca hubiera llegado el arte mexicano a su actual fuerza y novedad de visión.

MIGUEL COVARRUBIAS

106 UNKNOWN: "Such Is Life." Oil on canvas. 31 x 46 1/2 inches. Lent by the M. A. P. Popular painting of the 19th century, perhaps a decoration of a "pulquería" salcon.

ANONIMO: "Esta es la Vida." Oleo sobre tela. 79 x 118 cmts. Prestado por el M. A. P. Pintura popular del siglo XIX, probablemente una decoración de pulquería.

107 UNKNOWN: "Banquet to Gen. León in Oaxaca." 1844. Oil on canvas. 21 3/4 x 32 11/16 inches. Lent by M.N. Characteristic of the taste of the new Mexican middle class of the 19th century.

ANONIMO: "Banquete al General A. León en Oaxaca." 1844. Oleo sobre tela. 55 x 83 ctms. Prestado por el M. N. Este cuadro es típico del gusto predominante de la clase media mexicana del siglo XIX.

108

109

108 UNKNOWN: "Child with dog." Late 18th century. Oil on canvas. 15 3/4 x 11 1/4 inches. Lent by M.N. Precursor of the 19th century provincial portrait style.

ANONIMO: "Retrato de Niña." Fines del siglo XVIII. Oleo sobre tela. 40 x 28.5 ctms. Prestado por el M. N. Precusor de los retratos populares del siglo XIX.

109 ESTRADA, José María: "Woman with Fan." Between 1839-1850. Oil on canvas. 26 3/4 x 19 7/8 inches. Lent by Roberto Montenegro. Estrada was a modest provincial whose portraits were renowned in his native Guadalajara for their striking likenesses.

ESTRADA, José María: "Retrato." Entre 1839-1850. Oleo sobre tela. 68 x 49 cmts. Prestado por Roberto Montenegro. Estrada fué un modesto pintor de provincia, famoso en Guadalajara por la exactitud y el parecido de sus retratos.

110   FONSECA, Apolinar: "Still Life." 1852. Oil on canvas. 28 1/2 x 38 1/2 inches. Lent by Roberto Montenegro. The inscription reads "Study painted by Apolinar Fonseca, Guanajuato, the 28th of December, 1852. I have the honor of dedicating it to Señorita Doña María Marmolejo, an amateur of our beatiful Art."

FONSECA, Apolinar: "Bodegón para Comedor." 1852. Oleo sobre tela. 72.5 x 98 cmts. Prestado por Roberto Montenegro. La leyenda dice: "Estudio pintado por Apolinar Fonseca. Guanajuato, Diciembre 28 de 1852. Tengo el honor de dedicárselo a la Señorita Doña María Marmolejo como aficionada de tan bellísimo arte."

111

112

111 MENDOZA, Francisco de P: "Battle of Silao." 1861. Oil on canvas. 30 3/4 x 41 1/2 inches. Lent by the Instituto Nacional de Antropología e Historia. Battle between the conservatives and the liberal forces of Juárez during the wars of the Reform.

MENDOZA, Francisco de P: "Batalla de Silao." 1861. Oleo sobre tela 78 x 105.5 cmts. Prestado por el Instituto Nacional de Antropología e Historia. Batalla entre los Conservadores y los Liberales de Juárez durante las guerras de Reforma.

112 LAGUELLE, E: "Execution of Maximilian." 1868. Oil on canvas. Lent by the M. A. P. The execution of Maximilian (right) with his two generals, Miramón and Mejía, reestablished the Republic of Juárez.

LAGUELLE, E: "Fusilamiento de Maximiliano." 1868. Oleo sobre tela. Prestado por el M. A. P. El fusilamiento de Maximiliano (derecha) con sus generales Miramón y Mejía restableció la República.

149 Modern Art

113 VELASCO, José María: "The Valley of Mexico." 1891. Oil on canvas. 17 3/4 x 24 inches. Lent by P.P.B.A. Velasco, pupil of the Italian Landesio, was the finest of the Mexican 19th century landscape painters, renowned for his pictures of the Valley of Mexico.

VELASCO, José María: "Paisaje del Valle de México." 1891. Oleo sobre tela. 45 x 61 cmts. Prestado por la P.P.B.A. Velasco fué el más aventajado discípulo del pintor italiano Landesio y fué notable por sus magníficos paisajes del Valle de México.

114

115

114 PARRA, Felix: "Still Life." 1845. Oil on canvas. 19 1/4 x 38 1/2 inches. Lent by P. P. B. A. A conscientious, orderly painting by the master of the 19th century academic period whose work is characterized by a sensitive realism.

  .PARRA, Felix: "Bodegón." 1845. Oleo sobre tela. 49 x 98 cmts. Prestado por la P. P. B. A. Una concienzuda y ordenada pintura por el gran maestro del período académico, cuya obra se distinguió por su sensibilidad y realismo.

115 TELLEZ-TOLEDO, Juan: "The Seance." Oil on canvas. 69 x 59 inches. Lent by P. P. B. A. Téllez was the most accomplished representative of the Spanish school that prevailed in Mexico before the 1910 Revolution.

  TELLEZ TOLEDO, Juan: "Las Espiritistas." Oleo sobre tela. 175 x 150 cmts. Prestado por la P. P. A. B., Téllez fué el más digno representante de la escuela española que prevaleció en México antes de la Revolución de 1910.

116 ATL, Doctor: "Landscape." 1930. "Aqua-resina" ("Atl-color") on Celotex. 25 x 37 inches. Lent by the Galería de Arte Mexicano, Mexico, D. F. Dr. Atl has painted practically every aspect of the volcanoes Popocatepetl and Ixtaccihuatl and the many extinct craters that dot the Valley of Mexico. This picture, organized into a construction of strong, sober masses and painted in colors of Atl's own invention (base of copal resin and wax), has as its principal motif the characteristic crater seen in the right background of Velazco's "The Valley of Mexico" (Pl. 113).

ATL, Doctor: "Paisaje." 1930. "Aqua-resina" ("Atl-color") sobre Celotex. 63.5 x 94 cmts. Prestado por la Galería de Arte Mexicano, México, D. F. El Doctor Atl ha pintado los volcanes del valle de México en todos sus aspectos. Este cuadro está pintado a la "aqua resina," medio inventado por Atl que lleva como base el copal y la cera, y tiene como motivo principal el mismo cráter que se ve en el fondo a la derecha del paisaje del Valle de México por Velazco (Lám. 133).

117 RIVERA, Diego: "The Day of the Dead". 1925. Fresco. Mexico, D. F. Photograph by Alvarez Bravo. (Not in exhibition.) From the series on Mexican festivals which decorate the patios of the Secretaría de Educación Pública, Mexico, D. F. Rivera has painted himself in the picturesque crowd.

RIVERA, Diego: "El Día de los Muertos." 1925. Fresco, México, D. F. Fotografía por Manuel Alvarez Bravo. (No está en la exposición.) De la serie de fiestas mexicanas que decoran los patios de la Secretaría de Educación Pública. La fiesta del Día de los Muertos, cada 2 de noviembre, combina el día de Todos Santos con el culto indígena de los muertos y en ella se venden cráneos de dulce, esqueletos de juguete y entierros chuscos, junto con refrescos y comida. Rivera se ha pintado a sí mismo entre los concurrentes.

119

118 OROZCO, José Clemente. "Brothel Dance". Oil on canvas. 29 3/4 x 38 1/2 inches. Lent by Central Art Gallery, Mexico, D. F. Perhaps the most important work of the brothel series Orozco painted between 1909-1915.

OROZCO, José Clemente: "Baile de las Pirujas." Oleo sobre tela. 75.5 x 98 cmts. Prestado por la Central Art Gallery, México, D. F. Tal vez la pintura más importante de la serie de escenas de burdel que Orozco pintó entre 1909-1915, posiblemento como protesta contra los retratos elegantes y los cuadros de flores de la época.

119 OROZCO, José Clemente: "Zapatistas." 1931. Oil on canvas. 45 x 55 inches. The Museum of Modern Art. Scene from the agrarian movement of Emiliano Zapata.

OROZCO, José Clemente: "Zapatistas." 1931. Oleo sobre tela. 114.5 x 140 cmts. The Museum of Modern Art, Nueva York. Los Zapatistas fueron los campesinos indígenas desposeídos de sus tierras que siguieron a Emiliano Zapata, líder del movimiento agrarista de 1910 a 1919.

120 MONTENEGRO, Roberto: "Maya Women." Oil on canvas. 31 1/2 x 27 1/2 inches. Lent by the artist. The repeated profiles reflecting the refined sense of pattern and line of ancient Maya bas-reliefs and hieroglyphics.

MONTENEGRO, Roberto: "Mujeres Mayas." Oleo sobre tela. 79 x 70 cmts. Prestado por el artista. Cuatro figuras agrupadas en una masa compacta, cuyos repetidos perfiles reflejan el refinado sentido de línea y composición de los antiguos relieves y los geroglíficos mayas.

121 MERIDA, Carlos: "Variations on a Maya Motif." 1939. Gouache on canvas. 22 x 26 1/4 inches. Lent by the Galería de Arte Mexicano, Mexico, D. F. Carlos Mérida organizes traditional American motifs into an equilibrium of geometric and free-flowing forms.

MERIDA, Carlos: "Variaciones sobre un Motivo Maya." 1939. Gouache sobre tela. 56 x 67 cmts. Prestado por la Galería de Arte Mexicano, México, D. F. Motivos tradicionales americanos organizados en nuevas formas y valores de colorido en un equilibrio que las hace vivir una nueva existencia.

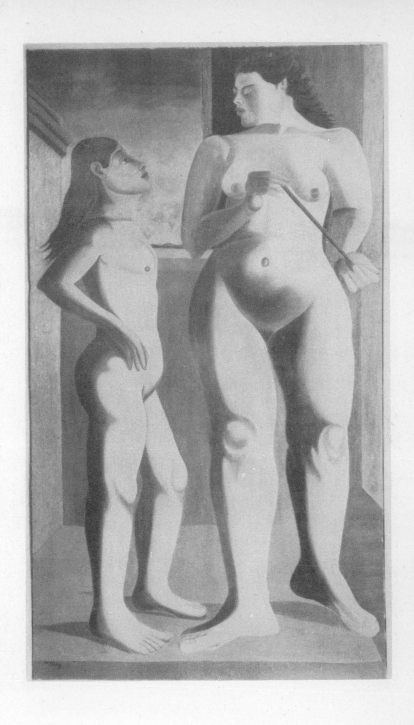

122 RODRIGUEZ-LOZANO, Manuel: "The Ruler." 1935. Oil on canvas. 78 3/4 x 43 1/4 inches. Lent by the artist. One of a group of paintings intended for a room decoration. An unusual conception uniting clean and refined color with simple, archaic line and form. Rodríguez-Lozano's work has a strange mystic intensity expressed in modern esthetic terms.

RODRIGUEZ LOZANO, Manuel: "La Regla." 1935. Oleo sobre tela. 200 x 110 cmts. Prestado por el artista. Parte de un grupo de pinturas destinadas a la decoración de una sala. Rodríguez Lozano combina un gran refinamiento de color con un atrevido y arcaico sentido de la línea y de la forma. La obra de Rodríguez Lozano tiene una misteriosa intensidad mística a la vez que obedece a la disciplina moderna.

123 ANGEL, Abraham: "The Sweethearts." 1924. Oil on cardboard. 48 x 36 inches. Lent by Miguel Covarrubias. This pupil of Rodríguez-Lozano, died at the age of nineteen leaving about thirty pictures full of direct, poetic charm and a splendid sense of color. The majority of his work was painted in the last year of his life.

ANGEL, Abraham: "Los Novios." 1924. Oleo sobre cartón. 122 x 91.5 cmts. Prestado por Miguel Covarrubias. Abraham Angel fué el más notable discípulo de Rodríguez Lozano y pintó activamente un año antes de su muerte, dejándonos treinta magníficos cuadros sencillos e ingenuos con un gran sentido del color. Toda su obra, con excepción de tres pinturas, están en la colección del mecenas Francisco Iturbe.

124 CASTELLANOS, Julio: "The Day of San Juan." Oil. 15 3/4 x 19 inches. Lent by the artist. The day of Saint John, a traditional holiday in which the populace flocks to the public swimming pools, has given the artist an opportunity to exercise his mastery of composition. Castellanos' work is the product of a serene talent, severe technical discipline, and a keen plastic sensibility.

CATELLANOS, Julio: "El Día de San Juan." Oleo. 40 x 48 cmts. Prestado por el artista. El Día de San Juan es una fiesta tradicional en la que el pueblo acude a las albercas públicas, tema que ha dado oportunidad al pintor para hacer derroche de su delicada sensibilidad plástica, su serenidad en la composición y su severa disciplina técnica.

125 KAHLO, Frida: "The Two Fridas." 1939. Oil on canvas. 67 1/4 x 67 1/4 inches. Lent by the artist. Almost all the
paintings of Frida Kahlo are autobiographical episodes expressed in a surrealist dream language.

KAHLO, Frida: "Las Dos Fridas." 1939. Oleo sobre tela. 171 x 171 cmts. Prestado por la artista. Casi todas las
pinturas de Frida Kahlo son autobiográficas, expresadas en un lenguaje de ensueño verdaderamente surrealista
y motivadas por estados psicológicos de la mentalidad de la artista.

O. GOITIA, Francisco: "Tata Jesucristo." Oil on canvas. 33 1/2 x 42 inches. Lent by the S. E. P. The title, "Tata Jesucristo" (Lord Jesus), which Goitia has given to his masterpiece, adds to the note of despair in its dramatic representation of an Indian wake.

GOITIA, Francisco: "Tata Jesucristo." Oleo sobre tela. 85 x 106 cmts. Prestado por la S. E. P. El título de "Tata Jesucristo", que Goitia ha dado a su obra maestra, contribuye a la nota de desesperación en este dramático cuadro de un velorio indígena.

126 ROMERO, Carlos O: "Portrait of María." 1937. Oil on canvas. 37 7/8 x 31 1/4 inches. Lent by the artist. A forceful portrait of the artist's wife in the traditional style of Mexican mural painting.

ROMERO, Carlos O: "Retrato de María." 1937. Oleo sobre tela. 96 x 79.5 cmts. Prestado por el artista. Un fuerte retrato de la esposa del pintor tratado en el estilo tradicional de la pintura mural mexicana.

127 COVARRUBIAS, Miguel: "The Bone." 1940. Oil on canvas. 30 x 24 inches. Lent by the artist. A satirical portrait of a Mexican provincial bureaucrat. In Mexico the bone has a double meaning symbolical of an easy government job.

COVARRUBIAS, Miguel: "El Hueso." 1940. Oleo sobre tela. 91.5 x 62.5 cmts. Prestado por el artista. Retrato satírico de un burócrata de provincia. El hueso en México es símbolo de un jugoso empleo en el gobierno.

P. ALFARO-SIQUEIROS, David: "María Asúnsolo." 1935. Duco on wood. 36 x 28 3/4 inches. Lent by María Asúnsolo. Siquerios began his experiments with synthetic lacquers in California about 1932. He handles this new medium with masterful sensitiveness.

ALFARO SIQUEIROS, David: "María Asúnsolo." 1935. Duco sobre madera. 91.5 x 75.5 cmts. Prestado por la Señora María Asúnsolo. Siqueiros comenzó sus experimentos con lacas sintéticas en California en 1932, llegando a dominar este moderno medio con maestría y sensibilidad.

128

129

128 LAZO, Agustín: "Seascape." Oil on canvas. 25 3/4 x 28 1/4 inches. Lent by the artist. A modern esoteric poetical concept in terms of an old pastoral mood; subtly ironic, sensitive and brilliant in color.

LAZO, Agustín: "Marina." Oleo sobre tela. 65.5 x 72 cmts. Prestado por el artista, Un moderno y esotérico concepto poético, irónicamente bucólico y anticuario pintado con sensibilidad y riqueza de color.

129 FERNANDEZ-LEDESMA, Gabriel: "Adobe-House." 1939. Oil on canvas. 19 3/4 x 23 5/8 inches. Lent by the artist. In this sensitive landscape the fine color key in blues, grays and purples creates an atmosphere of poetic melancholy.

FERNANDEZ LEDESMA, Gabriel: "La Casa de Adobes." 1939. Oleo sobre tela. 50 x 60 cmts. Prestado por el artista. La fina gama de grises, azules y violetas de esta solitaria casa en construcción hace resaltar la melancolía poética de este delicado paisaje.

165 Modern Art

130　IZQUIERDO, María: "My Nieces." 1940. Oil on plywood. 55 x 39 1/2 inches. Lent by the artist. Earthy and vigorous, with a passionate interest in textures and brilliant color, the work of María Izquierdo is typical of the modern Mexican school of painting.

　　IZQUIERDO, María: "Mis Sobrinas." 1940. Oleo sobre madera. 140 x 100 cmts. Prestado por la artista. Vigoroso y terrenal, con un interés apasionado por las texturas y por el color brillante, la obra de María Izquierdo es típica de la escuela de pintura mexicana contemporánea.

131 GUERRERO-GALVAN, Jesús: "Children." 1939. Oil on canvas. 53 3/4 x 43 1/4 inches. Lent by John E. Abbott.
The solid proportions of pre-Spanish art, finesse in drawing, and a sensitive blend of earth colors are characteristic
of this young painter.

GUERRERO GALVAN, Jesús: "Niños." 1939. Oleo sobre tela. 146.5 x 100 cmts. Prestado por John E. Abbott. La
pesantez y proporción precortesianas, unidas a la fineza de un dibujo italiano, los delicados ocres dorados, tierras
rojas y rosas son elementos característicos de la obra de este joven artista.

167 Modern Art

Q. TAMAYO, Rufino: "Pretty Girl." Oil on canvas. 48 x 36 inches. Lent by the Galería de Arte Mexicano, Mexico, D. F. A happy combination of the Mexican plastic sense of form, color and composition, with the knowledge and point of view of Modern European painting.

TAMAYO, Rufino: "Niña Bonita." Oleo sobre tela. 122 x 91.5 cmts. Prestado por la Galería de Arte Mexicano, México, D. F. Una combinación acertada del espíritu plástico mexicano en forma, color y composición, con la sabiduría de oficio y punto de vista de la pintura moderna europea.

133

132

132 ZALCE, Alfredo: "War of Nerves." 1939. Duco on plywood. 36 x 24 1/2 inches. Lent by the artist. Man as a
victim of unrestrained war propaganda, painted in a new medium and in a fine scale of grays and slate blues.

ZALCE, Alfredo: "Guerra de Nervios." 1939. Duco en madera. 91.5 x 62.5 cmts. Prestado por el artista. El hombre
víctima de la desenfrenada propaganda por la guerra, pintado con un nuevo medio y en una finísima gama de grises
azul-pizarra.

133 MEZA, Guillermo: "Head." 1940. Oil on paper. 18 x 15 inches. Lent by Monroe Wheeler. A vigorous and mature
surrealist conception by the youngest artist of the new generation.

MEZA, Guillermo: "Cabeza." 1940. Oleo en papel. 45.5 x 38 cmts. Prestado por Monroe Wheeler. Una vigorosa y
madura concepción surrealista por el más joven pintor de la nueva generación.

169 Modern Art

135

134 CASTILLO, Fernando: "Vegetables." 1935. Oil on cardboard. 15 3/4 x 20 1/2 inches. Lent by the Galería de Arte Mexicano. By a former pupil of the Open Air schools, this picture, fresh in color and original in composition, reveals the intuitive plastic sense characteristic of the Mexican popular arts.

CASTILLO, Fernando: "Legumbres." 1935. Oleo sobre cartón. 40 x 52 cmts. Prestado por la Galería de Arte Mexicano. Solamente la modesta simplicidad de artistas como Castillo, discípulo de las escuelas al aire libre, puede producir tal sentido intuitivo del color y de la composición así como tal frescura y vigor.

135 TEBO: "The Mother." 1937. Oil on cardboard. 9 x 6 1/8 inches. Lent by Manuel Rodríguez-Lozano. This small portrait of the artist's mother has the striking grandeur and intensity which characterizes most of Tebo's work.

TEBO: "La Madre." 1937. Oleo sobre cartón. 25 x 15.5 cmts. Prestado por Manuel Rodríguez Lozano. En este pequeño retrato de la madre del artista se advierte la majestuosa intensidad que caracteriza la obra de Tebo.

136

137

136 PACHECO, Máximo: "The Watercarriers." (Fragment.) Pencil drawing. 23 3/4 x 17 3/4 inches. Lent by Frances Toor. An early work by the Indian Pacheco. He paints with primitive freshness and naiveté in a spirit of protest against the misery and exploitation of his race.

PACHECO, Máximo: "Los Aguadores." (Fragmento.) Dibujo a lápiz. 60.5 x 45 cmts. Prestado por Frances Toor. Una obra de la juventud de Pacheco, que pintó conmovedoramente en un espíritu de protesta contra la miseria y explotación de la raza indígena.

137 ALONSO, Mario: "Bull and Cow." 1938. Ink and watercolor. 9 1/2 x 10 3/4 inches. Lent by the artist. One of the younger artists with unusual sensibility and strong imaginative vision.

ALONSO, Mario: "Los Toritos." 1938. Tinta y acuarela. 24 x 27.5 cmts. Prestado por el artista. Un pintor de la nueva generación dotado de rara sensibilidad y de gran imaginación.

171 Modern Art

R. RUIZ, Antonio: "Street Meeting." 1935. Oil on canvas. 16 3/4 x 17 inches. Lent by the artist. A candid comentary of a phase of the contemporary Mexican political scene painted with precision and native gusto.

RUIZ, Antonio: "Mítin Callejero." 1935. Oleo sobre tela. 42.5 x 43 cmts. Prestado por el artista. Un comentario cándido, imparcial, de un aspecto de la escena política mexicana contemporánea, pintado con precisión y entusiasmo ingenuo.

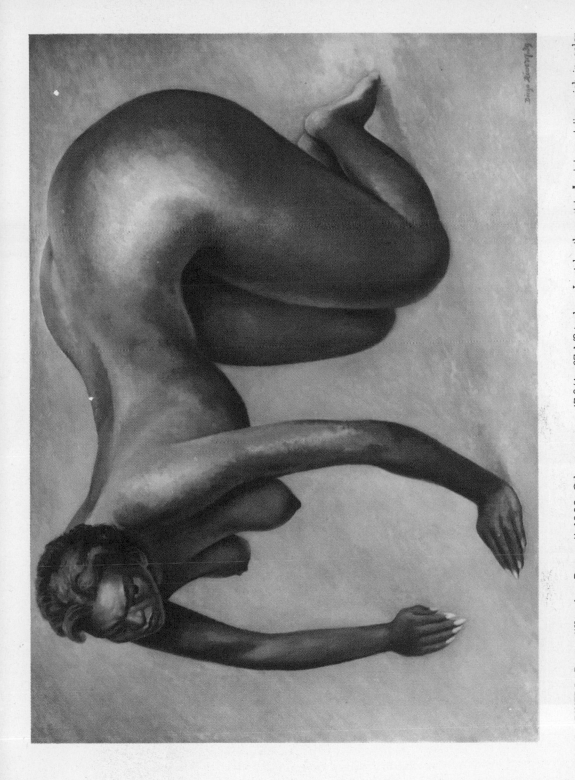

S. RIVERA, Diego: "Kneeling Dancer." 1939. Oil on canvas. 47 3/4 x 67 1/2 inches. Lent by the artist. An interpretation, rich in color values, of the studies on primitive dancing by an American-Negro dance recitalist.

RIVERA, Diego: "Bailarina Arrodillada." 1939. Oleo sobre tela. 121.3 x 171.5 cmts. Prestado por el artista. Una interpretación de los estudios sobre danzas primitivas de una bailarina de raza negra norteamericana.

138

A scendit mors per fenestras nostras Jerem. cp. 9.

139

140

138   ILLUSTRATIONS. (138) Burin engraving by Francisco Agüera, 1792, from "The Marvelous Life of Death." (139)
139   "Watercarrier." Anonymous lithograph, 1844, from "La Ilustración Mexicana." (140) Lithograph by Constantino
&   Escalante for "La Orquesta," mid-19th century political paper. All lent by Francisco Díaz de León.
140   ILUSTRACIONES. (138) Buril de Francisco Agüera para la obra "La Portentosa Vida de la Muerte." 1792. (139)
       "Aguador." Litografía anónima de "La Ilustración Mexicana." 1844. (140) Litografía de Constantino Escalante
       para "La Orquesta," periódico político de mediados del siglo XIX. Prestados por Francisco Díaz de León.

142

141

141 POSADA, José Guadalupe: "Calavera Huertista." 1913. Wood engraving. 8 1/2 x 8 1/2 inches. From the book
"Posada," by Frances Toor. A caricature of the bloodthirsty dictator Huerta.

POSADA, José Guadalupe: "Calavera Huertista." 1913. Grabado en madera. 22 x 22 cmts. De la edición "Posada"
por Frances Toor. Una feroz caricatura del sangriento dictador Victoriano Huerta.

142 POSADA, José Guadalupe: "Calavera Quijotesca." Wood engraving. 5 1/2 x 10 3/4 inches. From the book
"Posada", by Frances Toor. This and the above are illustrations from the popular sheets called "corridos," "ejemplos," "sucedidos" or "calaveras," sold for a few centavos in market places.

POSADA, José Guadalupe: "Calavera Quijotesca." Grabado en madera. 16 x 27 cmts. De la obra "Posada", por
Frances Toor. Este y el anterior son ilustraciones para las hojas populares llamadas "corridos", "ejemplos",
"sucedidos", o "calaveras".

T. OROZCO, José Clamente: "Fire." 1939. Fresco. Hospicio, Guadalajara, Jalisco. One of Orozco's most powerful recent conceptions is the central figure, Fire, of the composition representing the four elements in the dome of the Guadalajara Orphanage.

OROZCO, José Clemente: "El Fuego." 1939. Fresco. Hospicio, Guadalajara, Jalisco. Una de las más importantes concepciones de Orozco es la figura central, El Fuego, de la composición que representa los cuatro elementos, pintada recientemente en la cúpula del Hospicio de Guadalajara.

144

143

143 MENDEZ, Leopoldo: (143) "Proletarian Hand." Wood engraving. 8 1/2 x 4 3/4 inches. Lent by Miguel Covarrubias.
 &   (144) "Parade." 1933. Wood engraving. 4 1/2 x 6 1/2 inches. Lent by Francisco Díaz de León.
144 MENDEZ, Leopoldo: "La Mano del Pueblo." Grabado en madera. 20.5 x 12 cmts. Prestado por Miguel Covarrubias.
     (144) "El Séquito." 1933. Grabado en madera, 11.5 x 16. cmts. Prestado por Francisco Díaz de León.

177 Modern Art

145

146

145 CHARLOT, Jean: "Mother and Child." 1934. Color lithograph. 27 3/4 x 18 inches. The Museum of Modern Art, New York. The impressions gained by Charlot during his stay in Yucatán in 1926 persist throughout his work.
CHARLOT, Jean: "Madre." 1934. Litografía a color. 70.5 x 45.7 cmts. Museum of Modern Art, Nueva York. Las impresiones recogidas por Charlot durante su estancia en Yucatán en 1926 persisten a través de toda su obra.

146 AMERO, Emilio: "The Fire." 1936. Color lithograph. 25 7/8 x 19 inches. Lent by Rosa Covarrubias. Amero and Charlot are modern masters of the color-lithographic technique.
AMERO, Emilio: "Incendio." 1936. Litografía a color. 65.7 x 48.2 cmts. Prestada por Rosa Covarrubias. Amero y Charlot son maestros modernos de la técnica de la litografía a color.

147 CHAVEZ-MORADO, José: "Pastorela. 1939. Lithograph. 25 1/2 x 19 11/16 inches. Lent by the Taller de Gráfica Popular, Mexico, D. F. The tradition of the medieval mystery play is carried on in this Mexican Indian version.

CHAVEZ MORADO, José: "Pastorela." 1939. Litografía. 64.7 x 50 cmts. Prestada por el Taller de Gráfica Popular, México, D. F. La tradición del "Teatro de los Misterios" llega a nosotros en esta escena popular.

148 DIAZ DE LEON, Francisco: "Seated Nude." 1930. Wood engraving. 4 3/8 x 3 3/4 inches. Lent by the artist. This engraving shows the mastery of craft which distinguishes Díaz de León's work.

DIAZ DE LEON, Francisco: "Desnudo." 1930. Grabado en madera. 11 x 9.5 cmts. Prestado por el artista. Este grabado ofrece como toda la obra de Díaz de León gran dominio técnico y conocimiento de oficio.

149

150

149 ANGUIANO, Raúl: "Leper Women." 1939. Lithograph. 19 1/2 x 25 1/2 inches. Lent by the Taller de Gráfica Popular, Mexico, D. F.
ANGUIANO, Raúl: "Leprosas." 1939. Litografía. 49 x 64.6 cmts. Prestada por el Taller de Gráfica Popular, México, D. F.

150 DOSAMANTES, Francisco: "Soldier." Lithograph. 25 1/2 x 19 11/16 inches. Lent by the Taller de Gráfica Popular, Mexico, D. F.
DOSAMANTES, Francisco: "El Soldado." Litografía. 64.7 x 50 cmts. Prestada por el Taller de Gráfica Popular, México, D. F.

151

152

151 MAGAÑA, Mardonio: "Woman and Child." Conglomerate limestone. 33 inches (with pedestal). Lent by the artist. The works of Magaña, carved directly in wood or stone, are deeply human in feeling.

MAGAÑA, Mardonio: "Mujer con Niño." Cantera. 84 cmts. (con pedestal). Prestada por el artista. La escultura de Magaña, tallada directamente en piedra o madera, es ingenua y de gran emoción plastica.

152 ORTIZ-MONASTERIO, Luis: "Victory." 1935. Marble. 15 1/8 inches (with pedestal). Lent by the Galería de Arte Mexicano, Mexico, D. F. Ortíz-Monasterio reinterprets qualities of Aztec sculpture with a clear understanding of the art of our time.

ORTIZ MONASTERIO, Luis. "La Victoria." 1935. Mármol. 38.2 cmts. (con pedestal). Prestado por la Galería de Arte Mexicano, México, D. F. La escultura de Ortíz Monasterio recoge las cualidades plásticas de la escultura azteca pero conciente de las relaciones de sus valores con el arte moderno.

153

154

155

153 UNKNOWN: Two portraits. Middle 19th century. Ambrotypes. Lent by Manuel Alvarez-Bravo. The ambrotype is
& an early type of photograph whose image, unlike that of the daguerreotype, can be viewed in any light without
154 reflection or reversal.

ANONIMOS: Dos retratos. Mediados del siglo XIX. Prestados por Manuel Alvarez Bravo. El ambrotipo es un género
de fotografía que aparece poco después del daguerrotipo y que utiliza una superficie opaca para fijar la imágen.

155 ALVAREZ-BRAVO, Manuel: "Girl Looking at Birds." 1939. Photograph. Lent by the artist. Alvarez-Bravo is one
of the most subtle and original of modern Mexican photographers.

ALVAREZ BRAVO, Manuel: "Muchacha Mirando Pájaros." 1939. Fotografía. Prestada por el artista. Alvarez
Bravo es uno de los mas sutiles y originales fotógrafos modernos mexicanos.

BRIEF BIOGRAPHIES

COLONIAL ARTISTS

ARTEAGA, Sebastián de. Born in Seville, Spain, 1610. Appears to have been a disciple of Rivera or Zurbarán. He came to Mexico in 1633 and became an honorary Notary of the Inquisition Tribunal. He died about 1635.

CABRERA, Miguel. Born in Oaxaca, 1695. He lived and worked in Mexico City. He became so famous that most of the churches of Mexico had paintings by him and he became the leader of an important group. Died in 1768.

CORREA, Juan. Became known in Mexico about 1674 and was very active until 1700. Later he went to Guatemala, where he died in 1738.

ECHAVE IBIA, Baltazar de. Son of Baltazar de Echave Orio and Isabel Ibía. Born in Mexico, 1583. Died in 1640. Although a faithful disciple of his father he developed an artistic personality of his own.

ECHAVE ORIO, Baltazar de. Born in the Basque village of Zumaya, Spain, in the mid-16th century. Came to America about 1573, having been apprenticed to his countryman Francisco de Zumaya, whose daughter he married. Died about 1620.

GUERRERO Y TORRES, Francisco. Born in Guadalupe (near Mexico City). One of the most famous Mexican architects of the end of the 18th century. In 1774 he built the dome of the "pocito" Church, so-called because it covers a well of miraculous water. This baroque masterpiece is remarkable for the richness of its colors. The walls are made of red "tezontle" (porous Mexican building stone). The domes are covered with small white and blue enameled tiles and the reliefs appearing on the main facade have acquired the shade of old ivory.

JUAREZ, José. Son of the painter Luis Juárez, born in 1614 or 1615. Died about 1669. His daughter Antonia married Antonio Rodríguez, former disciple of José Juárez, and their sons Nicolás and Juan continued the family's artistic dynasty.

PEREZ DE AGUILAR, Antonio. No biographical data available. The painting reproduced is dated 1769. Its style shows that the artist belonged the Miguel Cabrera group.

RODRIGUEZ-JUAREZ, Juan. Born in Mexico in 1675. Died, 1728. He was a prolific painter who obtained great and lasting prestige as one of the chief painters of the beginning of the 18th century.

TOLSA, Manuel. Born in Valencia, 1757. He was appointed Director of Sculpture at the Academy of San Carlos. He interpreted the academic classic style in both architecture and painting, with individual grace and an accomplished technique. He died in Mexico in 1816.

TRESGUERRAS, Francisco Eduardo de. Born in Celaya, Guanajuato, 1759. An eclectic artist who worked as architect, painter, sculptor, engraver, poet and writer. Died in 1833.

VAZQUEZ, José María. One of the last colonial painters. No biographical facts are known, except that he became Assistant Director of Painting at the Academy of San Carlos. His works are dated from 1806 to 1817.

XIMENO Y PLANES, Rafael. Born in Valencia, Spain, 1761. Came to New Spain in 1795, and was appointed Teacher of Painting at the Academy of San Carlos. In 1798 he was promoted to General Director of the Academy, and held this office until his death in 1825.

MODERN ARTISTS

The Spanish and English texts in the notes under the reproductions and in the following biographies are not always literal equivalents of one another owing to greater familiarity with certain forms and terms on the part of Mexican readers.

The term "Academy of Fine Arts (San Carlos)" in the English section of the catalogue denotes what is now called the "Escuela de Artes Plásticas," Mexico, D. F. This school was founded by Charles III as the "Real Academia de San Carlos de Nueva España" in 1783. During the 19th century its name was changed three times: in 1821 to "Academia Nacional de San Carlos de México"; during the Second Empire to "Academia Imperial de San Carlos de México", and in 1867 by Juárez to "Escuela Nacional de Bellas Artes." In 1913, its name was changed again to "Academia Nacional de Bellas Artes," and in 1929, under the directorship of Diego Rivera, to "Escuela Central de Artes Plásticas." Following a controversy with Mexican architects over changes introduced in the curriculum, Rivera and his staff were dismissed and the word "Central" dropped. It is the "National Academy" of Mexico. For uniformity the above compromise term has been used in referring to the school after 1910. For dates prior to that time, the term "San Carlos Academy" has been used.

The so-called "Open Air Schools" were inaugurated in 1913 with the "Escuela de Pintura al Aire Libre," Santa Anita, under the direction of Alfredo Ramos-Martínez. It was organized as an out-door center for professional artists and seems to have been inspired by the Barbizon and Fontainebleau schools in France. After a lapse of several years they were revived as a means of discovering and developing artistic talent among the people, and four new schools were founded in Churubusco, 1924, and Tlálpan, Xochimilco and Guadalupe Hidalgo, 1925. These rapidly developed into a movement for popular art training and resulted in numerous similar centers throughout the country.

L.E.A.R. stands for "Liga de Escritores y Artistas Revolucionarios," dissolved in 1938.

"30-30" was an organization of revolutionary artists who attacked the academic standards and retrenchment of the "Academia Nacional de Bellas Artes" in 1928.

In the following English text hyphens have been used to indicate the double Spanish surname in which the family name of the mother follows that of the father.

AGÜERA, Francisco. Late 18th century engraver. (Pl. 138.)

AGUIRRE, Ignacio. Painter, fresco and graphic artist. Born in Guadalajara, Jalisco, 1902. Began painting in 1930. Frescoes in library of the Aviación Militar, Mexico, D. F. Member of L.E.A.R. and the Taller de Gráfica Popular.

ALFARO-SIQUEIROS, David. Painter and fresco artist. Born Chihuahua, 1898. Studied at Academy of Fine Arts (San Carlos) and the original Open Air School of Painting under Ramos-Martínez, Santa Anita. In 1913 joined Carranza's revolutionary army. Travelled in Belgium, France, Italy and Spain, 1919-22. Fresco and encaustic murals in Preparatoria, 1922. Became leading figure in Syndicate of Painters. Editor of "El Machete." Since 1924 has devoted himself to the workers' movement, traveling to congresses in Europe, South and North America. Frescoes in Los Angeles and Buenos Aires, 1932. In Mexico, 1934, attacked mural painting for its archaism and disputed in public with Rivera. Lieutenant-Colonel in Spanish Republican Army to end of civil war, 1939. Now painting Duco mural in the Sindicato de Electricistas, Mexico, D. F. (Color plate, p. 164.)

ALONSO, Mario. Painter and draughtsman. Born Durango, 1912. To Mexico, D. F., in 1927. Began painting after seeing the Rivera and Orozco frescoes in the Preparatoria and Secretaría de Educación Pública. Self-taught. (Pl. 137.)

ALVA DE LA CANAL, Ramón. Painter and fresco artist. Member of Syndicate of Painters. Painted one of first frescoes in Preparatoria ("Spaniards Planting the Cross"), 1922. Interior fresco decorations, Monument to Morelos, Janitzio, Michoacán, 1935-37. Has since worked as a marionette artist.

ALVA-GUADARRAMA, Ramón. Painter and fresco artist. Assisted Rivera on frescoes at Chapingo, Mexico, finished 1927. Frescoes in Rodríguez Market and Primary School, Colonia Pro-Hogar, Mexico, D. F.

ALVARADO-LANG, Carlos. Graphic artist. Born in La Piedad, Michoacán, 1905. Studied at Academy of Fine Arts (San Carlos). Professor of Engraving at Academy since 1929.

ALVAREZ-BRAVO, Lola. Photographer. Born Lagos de Moreno, Jalisco, 1906.

ALVAREZ-BRAVO, Manuel. Photographer. Born Mexico, D. F., 1902. Self-taught. One of the most accomplished contemporary Mexican photographers. (Pl. 155.)

AMERO, Emilio. Painter and graphic artist. Born Ixtlahuaca, Mexico, 1900. Assisted Rivera on frescoes of Secretaría de Educación Pública. Member of the Taller de Gráfica Popular. Best known as lithographer. (Pl. 146.)

ANGEL, Abraham. Painter. Born Mexico, D. F., 1905. Died Mexico, D. F., 1924. Pupil of Manuel Rodríguez-Lozano. Painted only during last four years of his life. One of the most brilliant talents of the modern Mexican movement. (Pl. 123.)

ANGUIANO, Raúl. Painter and graphic artist. Born Atoyac, Jalisco, 1909. Studied painting with Ixca Farías, Guadalajara. Member of the Taller de Gráfica Popular. (Pl. 149.)

ARENAL, Luis. Painter and graphic artist. Born Mexico, D. F., 1909. Worked as a painter in New York. Studied with Siqueiros. Member of the L.E.A.R. and the Taller de Gráfica Popular.

ASUNSOLO, Ignacio. Sculptor. Born Chihuahua, 1890. Studied at Academy of Fine Arts (San Carlos). Asúnsolo has executed various official monuments in Mexico.

ATL, Doctor. Painter, draughtsman, writer, poet. Real name is Gerardo Murillo. Born Guadalajara, Jalisco, 1877. Studied painting in Europe. One of the first to join the ranks of the Revolution. Active in Carranza's army, 1914-15. Had great influence among the young artists who struggled to transform art forms and the existing system of education. A versatile character of fiery temperament who has also been a journalist, miner, politician, military and labor organizer. Primarily a landscape painter. (Pl. 116.)

BEST-MAUGARD, Adolfo. Painter, writer and art educator. Born Mexico, D. F., 1891. Organized Pavlova's Mexican ballet production, 1918. Became director of government art education under Vasconcelos, 1922-24. Inventor of the "Best-Maugard Method" which was designed to reestablish national values in Mexican Art.

BOLAÑOS, Mateo. Painter. Born Guanajuato, 1898. Died insane, Mexico, D. F., 1924. Worked at Open Air School, Santa Anita, 1913. Soldier of the Revolution, 1913-14. Assisted Ramos-Martínez at Open Air School of Chimalixtac, 1920-1921. Professor at Academy of Fine Arts (San Carlos), 1921-1924.

BRACHO, Angel. Painter. Born Mexico, D. F., 1911. Studied at Academy of Fine Arts (San Carlos). Fresco in the Rodríguez Market, Mexico, D. F. Member of L.E.A.R. and the Taller de Gráfica Popular.

BRACHO, Carlos. Sculptor. Born Cosautlan, Veracruz, 1899. Studied at Academy of Fine Arts (San Carlos). To Paris on a government scholarship. Studied with José Decreft. On return to Mexico, 1932, founded a school of sculpture in which he works today.

BUSTOS, Hermenegildo. Painter. Born Guanajuato, end of the 19th century. Died Guanajuato. Never left his native city. Became a portrait painter of distinction.

CANTU, Federico. Painter. Born Cadereyta de Jiménez, Nuevo León, 1908. Studied in Coyoacán Open Air School. Assisted Rivera on frescoes of Secretaría de Educación Pública. Travelled extensively in Europe and U.S.A. His work is strongly European in character.

CASTELLANOS, Julio. Painter, draughtsman, stage-designer, fresco and graphic artist. Born Mexico, D. F., 1905. Studied at Academy of Fine Arts (San Carlos). Travelled in Europe, South America and U.S.A., 1925-28. Outstanding among the artists succeeding the generation of Rivera and Orozco. At present concerned with stage-design. Fresco in the Primary School of Coyoacán. (Pl. 124.)

CASTILLO, Fernando. Painter and wood engraver. Born during railroad accident at Temamatla, 1882. First a stone cutter at Amecameca, Mexico. Lost leg as soldier in Revolution. Worked variously as fireman, mule-driver, undertaker, hospital assistant, casket-maker and shoe-shiner. Began painting at 38 under Fernández-Ledesma at the Centro Popular de Pintura, San Antonio Abad, 1928. Lives in poverty; sells newspapers for a living and paints when he can.

CHARLOT, Jean. Painter, writer, fresco and graphic artist. Born Paris, 1898, of partly Mexican parents. To Mexico in 1921. Participated in first experiments with encaustic and fresco in the Preparatoria. Staff artist with Carnegie Archaeological Expedition, Chichén-Itzá, 1926-29. Since 1929 in U.S.A. (Pl. 145.)

CHAVEZ-MORADO, José. Painter, engraver and fresco artist. Born Silao, Guanajuato, 1909. Studied wood engraving with Díaz de León at Academy of Fine Arts (San Carlos). Member of the L.E.A.R. and Taller de Gráfica Popular. Frescoes in Jalapa, Veracruz, and the Escuela de Bellas Artes, San Miguel de Allende. At present Chief of Plastic Arts Section, Secretaría de Educación Pública. (Pl. 147.)

CLAUSELL, Joaquín. Painter. Born Campeche, 1885. Died Cuernavaca, Morelos, 1936. Originally a lawyer. Went to Paris where he was the companion of Dr. Atl and Ramos-Martínez. Influenced by Impressionism. Returned to Mexico about 1912. Primarily a landscape painter.

CLAVE, Pelegrín. Spanish painter and art educator. Born Barcelona, 1810. Died Barcelona, 1880. Studied in Spain and travelled in Italy. To Mexico in 1847 to assume directorship of San Carlos Academy. Reorganized the existing system of art instruction along traditional Euroepan lines.

COVARRUBIAS, Miguel. Painter, caricaturist, illustrator, draughtsman and writer. Born Mexico, D. F., 1904. Went to New York on government scholarship in 1923. Made name as caricaturist. Travelled in Europe, Africa, U.S.A., and the orient. His distinctive style and penetrating wit is internationally known through books and periodicals. (Pl. 127.)

COVARRUBIAS, Rosa. See ROLANDO.

DE LA CUEVA, Amado. Painter. Born Guadalajara, Jalisco, 1891. Died Guadalajara, 1926. Visited classes at Academy of Fine Arts (San Carlos). Travelled in Europe. Two frescoes in Secretaría de Educación Pública, 1923 and 1926. With Siqueiros painted frescoes in the old University, Guadalajara, 1925.

DE LA PAZ PEREZ, Gonzalo. Painter and engraver. Born Mexico, D. F., 1917. Studied at Academy of Fine Arts (San Carlos), 1922. Assisted Fernando Leal at the Centro Popular de Pintura, Nonoalco, D. F., 1927-35. Was member of the L.E.A.R. Now member of the Taller de Gráfica Popular.

DIAZ DE LEON, Francisco. Painter, typographer and graphic artist. Born Aguascalientes, 1897. Studied at Academy of Fine Arts (San Carlos) 1917; later professor and Director. Founded and directed Open Air School of Tlálpan. Co-Director of Sala de Arte, 1931-33. Since 1922 has been devoted to engraving and typography. Has figured prominently in the present ascendancy of Mexican graphic arts. Now Director of the Escuela de las Artes del Libro, Mexico, D. F. (Pl. 148.)

DOSAMANTES, Francisco. Painter and graphic artist. Born Mexico, D. F., 1911. Studied at Academy of Fine Arts (San Carlos). Teacher of plastic arts in several Misiones Culturales. Member of L.E.A.R. and the Taller de Gráfica Popular. (Pl. 150.)

ELIZONDO, Fidias. Sculptor. Born Monterrey, Nuevo León, 1892. Studied at Academy of Fine Arts (San Carlos), 1909. Worked in Paris, 1913.

ENCISO, Jorge. Painter. Born Guadalajara, 1879. Travelled in Europe. Professor of Decorative Arts at the Academy of Fine Arts (San Carlos) for several years after 1916. Now Chief of Department of Colonial Monuments, Secretaría de Educación Pública.

ESCALANTE, Constantino. 19th century lithographer, draughtsman and political caricaturist. Died Mexico, D. F., 1868. Published mordant political caricatures in "La Patria" and "La Orquesta." Associated with Hernández on "La Orquesta." (Pl. 140.)

ESCOBEDO, Jesús. Painter and graphic artist. Born Michoacán, 1917. Studied at the Centro Popular de Pintura, San Antonio Abad, under Fernández-Ledesma 1928-1932. Member of the Taller de Gráfica Popular. Now works as lithographer.

ESCOBEDO, José. Painter. Born Aguascalientes, 1898. Died Aguascalientes, 1916. Studied at Academy of Fine Arts (San Carlos), 1911, and assisted at Open Air School of Santa Anita, 1913. Fought with Siqueiros and Cabildo under General Diéguez in the Revolution 1913-15. On return to Aguascalientes founded with Fernández-Ledesma and Díaz de León the Círculo de Artistas Independientes.

ESTRADA, José María. 19th century provincial painter. Pupil of José María Uriarte. Worked primarily in Guadalajara, Jalisco, where he painted realistic portraits, direct in character and fresh in provincial charm. His pictures are dated between 1830 and 1860. (Pl. 109.)

FABRES, Antonio. Spanish painter and draughtsman. Born Barcelona. To Mexico in 1903 to assume directorship of San Carlos Academy.

FERNANDEZ, Miguel Angel. Painter. Born Mexico, D. F., 1890. Studied at Academy of Fine Arts (San Carlos). Worked at Open Air School of Santa Anita under Ramos-Martínez, 1913. With Revolutionary painters (Dr. Atl, Orozco, Cabildo, Guillemín, Bolaños and others) at Orizaba, 1914. Founded Escuela de Bellas Artes, Mérida, Yucatán, with José del Pozo, 1916. Later devoted to archaeology and participated in various expeditions. Now Chief of Department of Archaeology, Museo National.

FERNANDEZ-LEDESMA, Gabriel. Painter, editor, engraver and teacher. Born Aguascalientes, 1900. Studied at Academy of Fine Arts (San Carlos). Organized exhibitions of Mexican art in Seville, Madrid and Paris. Travelled in Europe and South America. Edited and directed the art review "Forma." Directed Centro Popular de Pintura, San Antonio Abad, 1928-32. With Díaz de León founded and directed the "Sala de Arte," 1931-34. Now occupied with art publications and stage designing. (Pl. 110.)

FONSECA, Apolinar. Provincial painter. Worked in Guanajuato, middle 19th century. (Pl. 110.)

GAMBOA, Fernando. Painter. Studied at Academy of Fine Arts (San Carlos), 1930. Member of L.E.A.R Editor of "Frente a Frente." Went on cultural mission to Republican Spain, 1938. At present aiding Spanish refugee work in France.

GAONA. See "PICHETA."

GARCIA-CABRAL, Ernesto. Caricaturist. Born Huatusco, Veracruz, 1891. Studied at Academy of Fine Arts (San Carlos) and participated in the strike of 1911. Published caricatures against Madero in "Multicolor." In spite of his vitriolic attacks against the liberal president, Madero recognized his great talent and offered him a scholarship for further study. Went to Paris and New York. Now works as caricaturist on various periodicals, Mexico, D. F.

GARCIA-CAHERO, Emilio. Painter, draughtsman, engraver and fresco artist. Born Veracruz of Spanish parents. Died Mexico, D. F., 1939. Worked at Open Air School, Santa Anita, 1913, and at the Escuela de Pintura, Chimalixtac, 1920. Joined the Revolution with Atl's group of artist soldiers. Professor of drawing at Academy of Fine Arts (San Carlos), 1921-25. Two frescoes in the Escuela de Ingenieros Constructores, San Antonio, Texas, 1929-35.

GOITIA, Francisco. Painter, teacher and draughtsman. Born Fresnillo, Zacatecas, 1884. Studied at Academy of Fine Arts (San Carlos). Travelled in Europe, 1904-1912. Active in Revolution under General Angeles. Studied Indian life in the Teotihuacán Valley and Oaxaca. His art has a profound humanitarian character. (Color plate p. 161.)

GONZALEZ-CAMARENA, Jorge. Painter. Born Guadalajara, 1908. Studied at Academy of Fine Arts (San Carlos), 1933. Set up studio in Huejotzingo, Puebla. Taught book-cover design at the Escuela de las Vizcaínas, Mexico, D. F. Now a commercial advertising artist.

GUERRERO, Xavier. Painter. Born San Pedro de las Colonias, Coahuila, 1896. Began painting with father, who was a decorator. With Siqueiros and Rivera founded "El Machete," 1923. Decorated the Casa de Zuno, Guadalajara, 1925. Collaborated with Rivera on first frescoes of the Secretaría de Educación Pública. Since 1926 has been occupied with politics.

GUERRERO-GALVAN, Jesús. Painter and graphic artist. Born Tonalá, Jalisco, 1910. Began as sign-painter, San Antonio, Texas. To Guadalajara, 1922; studied under José Vizcarra. To Mexico, D. F., 1925. Taught in primary schools where his art changed through contact with the work of school children. (Pl. 131.)

GUTIERREZ, Francisco. Born Oaxaca, 1915. Painter, draughtsman and lithographer. Went to Mexico, D. F. and worked for six years as a commercial lithographer. Studied at Academy of Fine Arts (San Carlos), 1929. Now Professor of plastic arts, Secretaría de Educación Pública.

HERNANDEZ, Santiago. Lithographer and political caricaturist. Born, 1833. Died Mexico, D. F., 1908. Popular orator and political pamphleteer, active in the long struggle for Mexican liberty and independence from 1847, when he took arms against the American invasion, to his death. Drawings in "La Orquesta," "El Rascatripas," "El Máscara," "El Ahuizote," and other periodicals.

IZQUIERDO, María. Born San Juan de los Lagos, Jalisco, 1906. Studied at Academy of Fine Arts (San Carlos) and with Rufino Tamayo. (Pl. 130.)

IRIARTE, Hesiquio. 19th century lithographer and draughtsman. Worked for the publisher Murgía, Mexico, D. F. Illustrated books and periodicals. Established own company, 1854.

KAHLO, Frida. Painter. Born Coyoacán, D. F., 1910. Travelled in Europe and U.S.A. Began painting in 1927. Paints with a sensitive realism in a style that combines expressionist and surrealist elements. (Pl. 125.)

KITAGAWA, Tamiji. Painter and graphic artist. Born Japan, 1894. Travelled in France, U.S.A., and Cuba. Went to Mexico and assisted at Open Air School, Tlalpan, shortly after its foundation, 1926. Directed government art school in Taxco, 1931. Returned to Japan, 1936.

LAGUELLE, E. Virtually unknown 19th century popular painter. (Pl. 112.)

LAZO, Agustín. Painter and stage designer. Born Mexico, D. F., 1900. Studied at Academy of Fine Arts (San Carlos). Travelled in France, Belgium and Italy. Has done much for the development of the new theatre movement in Mexico. (Pl. 128.)

LEAL, Fernando. Painter, fresco and graphic artist. Born Mexico, D. F., 1900. Studied in Open Air School, Santa Anita, 1913, and later at Chimalixtac, 1920. Wood engravings with Charlot, 1921. Murals in encaustic and fresco in the Preparatoria and other buildings, Mexico, D. F.

MAGAÑA, Mardonio. Sculptor. Born La Piedad de Cabadas, Michoacán, 1863. Began at Open Air School, Churubusco, 1925. Later professor of Sculpture at the Escuela de Escultura y Talla Directa. Depicts peasant types of contemporary Mexico. Works principally in wood and stone. (Pl. 151.)

MANILLA, Manuel. Engraver. Born Mexico, D. F. Died Mexico, D. F., 1895. Contemporary of Posada and first collaborator with the publisher, Vanegas Arroyo. Produced some 500 metal engravings for popular editions.

MENDEZ, Leopoldo. Engraver. Born Mexico, D. F., 1903. Studied at Academy of Fine Arts (San Carlos) 1917. Has illustrated many periodicals, books. Collective frescoes in the Talleres Gráficos de la Nación. Member of the L.E.A.R. and Taller de Gráfica Popular. His work, motivated by the struggle for social justice, recognizes the tradition of Posada and is vigorous in its tone of protest. At present in the U.S.A. on a Guggenheim Fellowship. (Pls. 143, 144.)

MENDOZA, Francisco de P. 19th century military painter. Born Saltillo, Coahuila, 1867. Died Mexico, D. F., 1937. Studied in Europe. Returned to Mexico, 1892. Professor at the Academy and the Colegio Militar. (Pl. 111.)

MERIDA, Carlos. Painter. Born Guatemala, 1893. Travelled in Europe and worked in Paris with Anglada and Modigliani. Returned to Guatemala, 1919, to experiment with a type of "American" painting based on folklore themes. Decorated Children's Library, Secretaría de Educación Pública, 1921. Semi-abstract and surrealist elements predominate in his present work. (Pl. 121.)

MEZA, Guillermo. Painter. Born Ixtapalapa, D. F., 1917. Began painting in a night art school for workers. One of the most impressive talents among the younger artists. (Pl. 133.)

MONTENEGRO, Roberto. Painter, draughtsman, illustrator, editor, fresco and graphic artist. Born Guadalajara, Jalisco, 1885. Studied at San Carlos Academy. Travelled in Europe. Organized the Museo de Artes Populares, Mexico, D. F., 1934. Numerous frescoes in Mexico, D. F. With Best-Maugard is perhaps chiefly responsible for the present recognition of the Mexican popular and folk arts. (Pl. 120.)

OCAMPO, Isidoro. Painter and graphic artist. Born Veracruz, 1910. Studied at Academy of Fine Arts (San Carlos); assisted in the Taller de Artes del Libro at Academy, 1931. Engraver for the periodical "Cultura." Now professor of engraving at the Escuela de Arte para Trabajadores, Mexico, D. F. Member of the L.E.A.R. and the Taller de Gráfica Popular.

O'GORMAN, Juan. Architect, painter and fresco muralist. Born Coyoacán, Mexico, 1905. Designed a number of modern functional Primary School buildings for the Mexican Government, 1932. Frescoes and mural panels, Central Airport, Mexico, D. F., 1938. Has been recently commissioned to paint a mural in Pittsburgh.

O'HIGGINS, Pablo. Painter, fresco and graphic artist. Born San Francisco, California, 1905. To Mexico, 1927. Assisted Rivera at Chapingo and the Secretaría de Educación Pública. Spent year in U.S.S.R. on Soviet scholarship. Numerous frescoes, Mexico, D. F. Member of the L.E.A.R. and Taller de Gráfica Popular.

OROZCO, José Clemente. Painter, lithographer and fresco artist. Born Zapotlán, Jalisco, 1883. Lost left arm and eyesight impaired in an explosion before going to Mexico, D. F. Studied agriculture and architectural drawing, 1900-04. Began painting in 1909. Series of illustrations, drawings and paintings depicting war scenes and underworld life of revolutionary Mexico, 1910-17. In California, 1917-22, working as painter and enlarger of photographs. Frescoes in Casa de los Azulejos and Preparatoria, Mexico, D. F., and the Orizaba Industrial School, 1922-27. In U.S.A., 1927-32; frescoes in Claremont, Cal., New York City, and Hanover, N. H. Trip to Europe, 1932. Returned to

Mexico, 1934. Since then has painted frescoes in the Palacio de Bellas Artes, Mexico, D. F., and the University, State Palace, and Orphanage, Guadalajara, Jalisco. Has recently been working on a fresco in the Biblioteca Pública, Jiquilpan, Michoacán. (Pls. 118, 119; color plate, p. 176.)

ORTIZ-MONASTERIO, Luis. Sculptor. Born Mexico, D. F., 1906. Studied at Academy of Fine Arts (San Carlos). Visited San Francisco and Los Angeles, exhibiting watercolors and wood carvings. Has done heroic sculptures directly in stone following the plastic tradition of pre-Spanish sculpture but modern in spirit (Pl. 152.)

PACHECO, Máximo. Painter, draughtsman, and fresco artist. Born Huichapan, Hidalgo, 1907. An Otomí Indian who began as a plaster mason. Assisted Fermín Revueltas and Rivera, 1921-26, México, D. F. Was member of the Syndicate of Painters. (Pl. 136.)

PARRA, Felix. Painter. Born Morelia, Michoacán, 1845. Died Mexico, D. F., 1919. Pupil of Rebull. To Europe in 1878. Professor at the San Carlos Academy from 1882. (Pl. 114.)

PEÑA, Feliciano. Painter, teacher, and engraver. Born Tlálpan, D. F., 1914. Worked at the Open Air School of Tlálpan under Díaz de León. Frescoes in Jalapa, Veracruz. Member of the L.E.A.R. Now professor of plastic arts, Secretaría de Educación Pública.

"PICHETA." 19th Century wood engraver and political caricaturist. Worked in Mérida, Yucatán. Published caricatures in "Don Bulle Bulle," 1841.

POSADA, José Guadalupe. Engraver, political caricaturist and illustrator. Born Aguascalientes, 1851. Died Mexico, D. F., 1913. To Mexico, D. F., 1887, to work for the publisher Vanegas Arroyo. Illustrated the periodicals "Argos," "La Patria," "El Ahuizote," and "El Hijo del Ahuizote," all in opposition to the Díaz regime. Aggressive political caricature and lusty commentary on popular life were the main themes of his prolific work. Toward the end of the 19th century thousands of his wood engravings circulating in ephemeral political pamphlets pungently represented the fantasy and humor of the Mexican people. (Pls. 141, 142.)

PUJOL, Antonio. Painter, lithographer, and fresco artist. Born Cuauthzingo, Mexico, 1914. To Mexico, D. F., when fifteen. Studied at Academy of Fine Arts (San Carlos), and with Rufino Tamayo and Carlos Mérida. Frescoes in Rodríguez Market, Mexico, D. F., 1934. To New York, 1936. Joined the Spanish Republican Army, 1937. Member of the L.E.A.R. and Taller de Gráfica Popular. At present assisting Siqueiros on new mural in the Sindicato de Electricistas, Mexico, D. F.

RAMIREZ, Everardo. Painter, teacher and engraver. Born Coyoacán, D. F. Worked at the Open Air School at Churubusco under Ramos-Martínez, 1924. Assisted Fernández-Ledesma at the Centro Popular de Pintura de San Antonio Abad. Member of the L.E.A.R.

and the Taller de Gráfica Popular. Now Professor of plastic arts, Secretaría de Educación Pública.

RAMOS-MARTINEZ, Alfredo. Painter and teacher. Born Monterrey, Nuevo León, 1875. Studied at San Carlos Academy under Rebull. To Paris, 1900, where he became a devotee of impressionism. On return to Mexico became Director of the Academy. Founded and directed the first of the Open Air Schools of Painting, Santa Anita, 1913. Lives in Los Angeles, Cal.

REBULL, Santiago. Painter. Born at sea en route to Spain of Spanish parents, 1829. Died Mexico, D. F., 1902. On return to Mexico became pupil of Pelegrín Clavé. Received "Premio de Romo," 1852. Professor at San Carlos Academy on return to Mexico, 1859. Named Director of Academy by Juárez, 1861. Decorated with the Orden de Guadalupe by Maximilian.

REVUELTAS, Fermín. Painter, illustrator and fresco artist. Born Santiago Papasquiaro, Durango, 1903. Died Mexico, D. F., 1935. One of the first muralists commissioned by Vasconcelos, 1921. Taught in Primary Schools, Mexico, D. F. Encaustic mural in Preparatoria, and other frescoes, Mexico, D. F. Member of "30-30" and Professor of Plastic Arts, Secretaría de Educación Pública.

RINCON, Abundio. 19th century provincial painter. Contemporary of José María Estrada. Worked in Guadalajara, Jalisco.

RIVERA, Diego María. Painter, draughtsman, illustrator, writer and fresco artist. Born Guanajuato in a mining district, 1886. Studied at San Carlos Academy under Parra, Fabrés, Rebull and Velazco. To Spain, 1907; studied with Chicharro. Travelled in France, Belgium, Holland, England, 1908-10. After brief return to Mexico was associated with Derain, Braque, Klee, Picasso and Gris in Paris, 1911-20. To Italy 1920-21. Returned to Mexico, 1921. Became member of Syndicate of Painters and painted encaustic murals in Preparatoria, Mexico, D. F. Did frescoes on three stories of the double patio, Secretaría de Educación Pública, and at Chapingo and Cuernavaca, 1922-30. To Moscow and U.S.S.R., 1927. Director of the Escuela Central de Artes Plásticas, Mexico, D. F., 1929. Frescoes in San Francisco, 1930-31; Detroit, 1932; New York, 1933-34. Replica of mural formerly in Rockefeller Center, Palacio de Bellas Artes, Mexico, D. F., 1934 (fresco). Other frescoes in Mexico, D. F. Throughout his career has been constantly involved in Mexican and world politics. Now devoting himself to easel pictures. (Pl. 117; color plate, p. 173.)

RODRIGUEZ-LOZANO, Manuel. Painter and draughtsman. Born Mexico, D. F., 1896. Travelled in Europe, South America, and U.S.A. In Mexico worked independently of Syndicate of Painters. Considered the leading exponent of "purism" in the modern Mexican movement. Director of the Academy of Fine Arts (San Carlos), now called Escuela de Artes Plásticas. (Pl. 122.)

ROLANDO, Rosa. Painter and photographer. Born Los Angeles, California. Started painting, Paris, 1927.

ROMANO-GUILLEMIN, Francisco. Painter. Born Tlapa, Guerrero, 1884. Studied at San Carlos Academy under Fabrés and Gedovius. Took part in Revolution, 1914. Afterward became professor at Academy of Fine Arts (San Carlos). Visited Paris, 1934.

ROMERO, Carlos Orozco. Painter. Born Guadalajara, Jalisco, 1898. Began as caricaturist, 1918. Travelled in France and Spain. 1921. With Carlos Mérida organized the Galería de Arte Moderno Mexicano, 1928. (Pl. 126.)

ROMO, Alfredo. Painter and caricaturist. Born Jamay, Jalisco, 1893. Collaborated in the publication of "El Perico," Guadalajara, 1909, and other reviews. Member of the Centro de Artistas, Guadalajara, 1913. Now entirely devoted to politics.

RUELAS, Julio. Painter, draughtsman and etcher. Born Zacatecas, 1870. Died Paris, 1907. Studied at San Carlos Academy and, later, at the University of Karlsruhe, Baden, Germany. Contributed to the "Revista Moderna," Mexico, D. F.

RUIZ, Antonio. Painter, draughtsman and stage designer. Born Mexico, D. F., 1897. Studied at Academy of Fine Arts (San Carlos). To California in 1926; designed screen sets for United Artists. Returned to Mexico, 1928. Has since devoted himself to painting and theatre projects. Sets for Anna Sokoloff Ballet, Mexico, D. F., 1940. (Color plate, p. 172.)

RUIZ, Guillermo. Sculptor. Born in the mining community of Catorce, San Luis Potosí, 1896. Entered Academy of Fine Arts (San Carlos), 1918. To Madrid on scholarship; studied with de Creft and Mateo Hernández. Since 1927 Director of the Escuela de Talla Directa.

SILVA-VANDEIRA. Late 19th century painter. Lived in Mexico, D. F.

SORIANO, Juan. Painter and draughtsman. Born Guadalajara, Jalisco, 1920. Self-taught. One of the promising talents of the younger generation.

TAMAYO, Rufino. Painter and fresco artist. Born Oaxaca, 1899. Began at Academy of Fine Arts (San Carlos), 1917. Has made various experiments with form, influenced by late cubism, esthetic theories of Mexican Primary School education, and Mexican popular arts. Taught in Primary Schools and at one time headed Plastic Arts Section of the Secretaría de Educación Pública. Professor at Academy of Fine Arts, 1928. Frescoes in National Conservatory of Music and Museo Nacional, México, D. F. Lives in New York. (Color plate, p. 168.)

TEBO. Painter and draughtsman. Born Mexico, D. F. 1916. Studied with Rodríguez-Lozano. (Pl. 135.)

TELLEZ-TOLEDO, Juan. Painter. Born Seville, Spain, 1883. Died insane, Mexico, D. F., 1930. To Mexico as a child. Studied at San Carlos Academy. Returned to Seville, 1889. To Mexico again, 1904. In Paris, 1905. New York, 1910, where he lost his mind. Painted many portraits of unusual atmospheric and color sensitiveness. (Pl. 115.)

URIARTE, José María. 19th century provincial painter and miniaturist. Director of local art school in Guadalajara, Jalisco, middle of 19th century. Teacher of José María Estrada.

VELAZCO, José María. Painter. Born Temazcaltzingo, Mexico, 1840. Died Villa de Guadalupe, D. F., 1912. Studied at San Carlos Academy. Pupil of Pelegrín Clavé and the Italian landscapist, Landesio. Professor at the Academy from 1868. Made numerous color lithographic studies of Mexican flora as well as distinctive landscape paintings of the Valley of Mexico. (Pl. 113.)

VERA DE CORDOVA, Rafael. Painter. Born Almolonga, Veracruz. Died Mexico, D. F. Took part in the Revolution with the Maderist Movement. Studied at Open Air School of Coyoacán. Directed Open Air School of Xochimilco, 1925. Primarily a landscape painter.

VILLASEÑOR, Isabel. Painter and graphic artist. Born Guadalajara, Jalisco, 1912. Studied engraving and painting at the Centro Popular de San Antonio Abad, 1928. Was member of L.E.A.R. and the "Brigadas Culturales."

ZALCE, Alfredo. Painter, teacher and fresco artist. Born Pátzcuaro, Michoacán, 1908. Studied at Academy of Fine Arts (San Carlos) and the Escuela de Escultura y Talla Directa, Mexico, D. F. Exterior murals in colored cement, School of Ayotla, Mexico, 1931. Frescoes, Doctor Balmis School, Mexico, D. F. Collective frescoes in the Talleres Gráficos de la Nación, Mexico, D. F. Member of the L.E.A.R. and Taller de Gráfica Popular. (Pl. 132.)

ZUNO, Guadalupe Jose. Painter and caricaturist. Born Jamay, Jalisco, 1891. Published caricatures in "El Perico," Guadalajara, 1909. Devoted himself to painting, 1913, and founded the Centro de Artistas, Guadalajara. Recently occupied with politics.

DATOS BIOGRAFICOS

ARTISTAS COLONIALES

ARTEAGA, Sebastián de. Nació en Sevilla en 1610. Murió entre 1633 y 1636. Parece haber sido discípulo de Rivera o de Zurbarán; pasó a México por el año de 1633 y llegó a ser Notario de la Inquisición honoríficamente.

CABRERA, Miguel. Nació en Oaxaca en 1695. Murió en 1768. Sus labores se desarrollaron en la ciudad de México. Adquirió tal fama, que casi todos los templos de México tuvieron pinturas suyas. Un grupo de artistas lo reconocía como jefe.

CORREA, Juan. Aparece en México desde 1674. Murió hacia 1738. Desarrolló gran actividad hasta principios de 1700. Parece que más tarde pasó a Guatemala, donde es posible que haya muerto.

ECHAVE IBIA, Baltasar. Hijo de Baltasar de Echave Orio y de Isabel de Ibía. Nació hacia 1583 y murió hacia 1640. Discípulo de su padre, a quien sigue fielmente, logra adquirir personalidad distinta.

ECHAVE ORIO, Baltasar. Nació en Zumaya, Guipúzcoa, a mediados del siglo XVI. Se cree que murió hacia 1620. Pasó a América hacia 1573 e hizo su aprendizaje con Francisco de Zumaya, su paisano, con cuya hija se casó. Su labor fué de primera importancia.

GUERRERO Y TORRES, Francisco. Nació en la Villa de Guadalupe. Fué uno de los más famosos arquitectos mexicanos de fines del siglo XVIII. De 1774 a 1791 construyó la llamada cúpula del Pocito, por que cubre un pozo de agua milagrosa. Esta obra de arte barroco es notable por su policromía: los muros son de tezontle rojo; las cúpulas están cubiertas de losetas esmaltadas blancas y azules y los relieves de la portada principalmente han adquirido con el tiempo un tono de marfil antiguo.

JUAREZ, José. Fué hijo del pintor Luis Juárez y nació entre 1614 y 1615. Para 1669 había fallecido. Su hija Antonia casó con Antonio Rodríguez, discípulo de José Juárez, y los hijos de este matrimonio, Nicolás y Juan Rodríguez Juárez continuarían la dinastía artística.

PEREZ DE AGUILAR, Antonio. No se conocen datos biográficos suyos sino sólo su cuadro aquí reproducido y fechado en 1769. Por el estilo de la pintura, el artista pertenece al grupo que giraba alrededor de don Miguel Cabrera.

RODRIGUEZ JUAREZ, Juan. Vió la luz en México en 1675 y dejó de existir en 1728. Fué un fecundo pintor que alcanzó gran prestigio y aún es estimado como uno de los mejores de principios del siglo XVIII.

TOLSA, Manuel. Nació en Valencia en 1757. Murió en México en 1816. Fué designado Director de Escultura de la Academia de San Carlos de Nueva España. Trajo el estilo neoclásico para la escultura y la pintura; pero con una gran elegancia y una notable perfección. Murió dejando una numerosa familia.

TRESGUERRAS, Francisco Eduardo de. Nació en Celaya el 13 de octubre de 1759. Falleció en 1833. Es el tipo perfecto del artista que se formó por sí solo y llegó a ser arquitecto, pintor, escultor y grabador, además de poeta y escritor.

VAZQUEZ, José María. Uno de los últimos pintores coloniales ya de la época académica. No tenemos datos biográficos suyos sino por sus cuadros sabemos que llegó a Teniente de Director de Pintura en la Academia de San Carlos. Sus obras están fechadas de 1806 a 1817.

XIMENO Y PLANES, Rafael. Nació en Valencia en 1761. Murió en 1825. Llegó a Nueva España el año de 1794 como profesor de pintura de la Academia de San Carlos. En 1798 fué nombrado Director General de la Academia, cargo que ocupó hasta su muerte.

ARTISTAS MODERNOS

Los pies de grabados y los textos biográgicos en español e inglés, no son literalmente equivalentes. En inglés se explican algunas denominaciones y se precisan demasiado ciertos hechos o términos, que por ser muy familiares para el medio mexicano, sólo se citan en español, sin insistir demasiado en detalles que resultarían ociosos.

La primera "Escuela de Pintura al Aire Libre" fué fundada bajo la dirección de Alfredo Ramos Martínez en Santa Anita, en 1913. De 1914 a 1924, hay un paréntesis en las actividades artísticas: un nutrido grupo de pintores sale de la Capital a combatir contra el régimen de Huerta. Ramos Martínez funda después la Escuela de Pintura al Aire Libre de Chimalixtac, inspiradas, tanto ésta, como la primera en el método de las escuelas francesas de Barbizon y Fontainebleau. En 1925 se fundaron cuatro escuelas: en Churubusco, Xochimilco, Tlalpan y Guadalupe Hidalgo que si bien recogían métodos y experiencias anteriores, su propósito era el de descubrir y desarrollar el talento artístico popular. A fines de 1927, se crearon otras dos más; ya no emplazadas en el campo, sino en centros fabriles. Se les llamaron "Centros Populares de Pintura" y se establecieron en Nonoalco y San Antonio Abad. Existiendo aún estas seis escuelas, se fundaron la de Los Reyes, Coyoacán, la de Cholula, Puebla, la de Ixtacalco, D. F., y la de Taxco, Guerrero.

La contracción LEAR significa: Liga de Escritores y Artistas Revolucionarios, disuelta en 1938.

"30-30", fué el "Grupo de Artistas Revolucionarios" que enderezó sus ataques contra los viejos métodos académicos que aún no desaparecían en la Escuela de Bellas Artes en 1928.

AGÜERA, Francisco. Grabador de fines del siglo XVIII. (Lám. 138.)

AGUIRRE, Ignacio. Pintor y litógrafo. Nació en Guadalajara, Jalisco, 1902. Comenzó a pintar en 1930. Decoró al fresco la Biblioteca de Aviación Militar en México, D. F. Miembro de la LEAR y del Taller de Gráfica Popular.

ALFARO SIQUEIROS, David. Pintor y fresquista. Nació en Chihuahua, 1898. Estudió en la Academia de San Carlos y en la Escuela al Aire Libre de Santa Anita. En 1913, fué a campaña con el ejército carrancista. Trabajó en Bélgica, Francia, Italia y España, 1919-22. Pintó fresco y encáustica en la Escuela Preparatoria, 1922. Fué el líder del Sindicato de Pintores. Editor de "El Machete". Desde 1924 ha trabajado en el movimiento obrero. Asistió a congresos en Europa, Norte y Sudamérica. Ha pintado frescos en Los Angeles y Buenos Aires en 1932. En 1934, atacó a la pintura mural por sus procedimientos arcaicos y polemizó en público con Rivera. Teniente Coronel en el Ejército de la República Española hasta el fin de la Guerra, 1939. Actualmente decora al duco en el Sindicato de Electricistas de México, D. F. (Lám. de color, p. 164.)

ALONSO, Mario. Dibujante y pintor. Nació en la ciudad de Durango, 1912. Llega a México, 1927. Impresionado por el movimiento de pintura, comienza a trabajar por sí solo. (Lám. 137.)

ALVA DE LA CANAL, Ramón. Pintor y fresquista. Miembro del Sindicato de Pintores. Uno de los primeros artistas que pintaron al fresco en la Escuela Preparatoria, 1922. De 1935 a 1937 decora al fresco el interior del Monumento a Morelos en Janitzio, Michoacán. Desde entonces se dedica al teatro de marionetas.

ALVA GUADARRAMA, Ramón. Pintor y fresquista. Ayudante de Rivera en la decoración de Chapingo en 1927. Pintó al fresco en el Mercado "Abelardo Rodríguez" y la Escuela Primaria de la Colonia "Pro-Hogar", México, D. F.

ALVARADO LANG, Carlos. Grabador. Nació en la La Piedad, Michoacán, 1905. Estudió en la Escuela de Bellas Artes, México, D. F., de la cual es ahora profesor de grabado en madera y metal.

ALVAREZ BRAVO, Lola. Fotógrafo. Nació en Lagos de Moreno, Jalisco, 1906.

ALVAREZ BRAVO, Manuel. Fotógrafo. Nació en México, D. F., 1902. Es uno de los artistas contemporáneos de mayor cultura y sensibilidad. (Lám. 155.)

AMERO, Emilio. Pintor, litógrafo y fotógrafo. Nació en Ixtlahuaca, México, 1900. Fué ayudante de Diego Rivera, en los frescos de Educación Pública. Ha colaborado con dibujos en varias revistas de Estados Unidos. (Lám. 146.)

ANGEL, Abraham. Pintor. Nació en México, D. F., 1905. Murió en México, D. F., 1924. Estudió con Rodríguez Lozano. Pintó sólo durante los últimos cuatro años de su vida. Fué uno de los jóvenes de mayor talento en el movimiento de arte mexicano. (Lám. 123.)

ANGUIANO, Raúl. Pintor y litógrafo. Nació en Atoyac, Jalisco, 1909. Estudió pintura en Guadalajara, con Ixca Farías. Miembro de la LEAR y del Taller de Gráfica Popular. (Lám. 149.)

ARENAL, Luis. Pintor y litógrafo. Nació en México, D. F., 1909. Estudió con Siqueiros y trabajó como pintor en Nueva York. Miembro de la LEAR y del Taller de Gráfica Popular.

ASUNSOLO, Ignacio. Escultor. Nació en Chihuahua, 1890. Estudió en la Escuela de Bellas Artes, México, D. F. Ha ejecutado varios monumentos oficiales.

ATL, Dr. (Gerardo Murillo). Dibujante, pintor y escritor. Nació en Guadalajara, Jalisco, 1877. Estudió pintura en Europa. Uno de los primeros en incorporarse a las filas de la Revolución. Su influencia es importante entre los jovenes artistas que lucharon por transformar medio y sistemas de enseñanza. Las actividades de periodista, político, organizador obrero, etc., completan su dinámica personalidad. Es considerado como uno de los mejores paisajistas contemporáneos. (Lám. 116.)

BEST MAUGARD, Adolfo. Pintor, escritor y maestro de arte. Nació en México, D. F., 1891. Director de Educación Artística en la época de Vasconcelos, 1920-24. Creador del "Método Best Maugard", sistema de utilizar los elementos decorativos tradicionales, en una nueva producción.

BOLAÑOS, Mateo. Pintor. Nació en Guanajuato, 1898. Murió demente en México, D. F., 1924. Estudió en la Escuela de Pintura al Aire Libre de Santa Anita, 1913-14. Fué soldado de la Revolución, 1914-15. Asistió a las Escuelas de Chimalixtac y Coyoacán con Ramos Martínez, 1920-22. Profesor en la Escuela de Bellas Artes, México, D. F., 1921-24.

BRACHO, Angel. Pintor. Nació en México, D. F., 1911. Estudió en la Escuela de Bellas Artes, México, D. F. Decoró al fresco varios panneaux del "Mercado Abelardo Rodríguez." Miembro de la LEAR y del Taller de Gráfica Popular.

BRACHO, Carlos. Escultor. Nació en Cosautlán, Veracruz, 1899. Estudió en la Escuela de Bellas Artes, México, D. F. Vivió en París; estudió como discípulo de José Decreft. De regreso a México, 1932, estableció su taller de escultura donde trabaja actualmente.

BUSTOS. Hermenegildo. Pintor. Nació en Guanajuato a fines del siglo XVIII. Murió en Guanajuato. Sin haber salido de su ciudad natal, fué un excelente retratista.

CANTU, Federico. Pintor. Nació en Cadereyta de Jiménez, Nuevo León, 1908. Estudió en la Escuela de Pintura al Aire Libre de Coyoacán. Ayudante de Rivera en los frescos de la Secretaría de Educación. Vivió largo tiempo en Europa y Estados Unidos, asimilando en su pintura el "carácter" europeo.

CASTELLANOS, Julio. Pintor, dibujante y escenógrafo. Nació en México, D. F., en 1905. Estudió en la Escuela de Bellas Artes, México, D. F. Trabajó en Europa, Sudamérica y Estados Unidos, 1925-28. Pintó un fresco en una Escuela Primaria de Coyoacán. (Lám. 124.)

CASTILLO, Fernando. Pintor y grabador. Nació en el descarrilamiento de Temamatla, 1882. Trabajó como cantero, cuando niño, en Amecameca. Después fué arriero, bombero, soldado, vendedor de periódicos y bolero. Ingresó al Centro Popular de Pintura de San Antonio Abad, de 1928 a 1932. Su pobreza le obliga a trabajar alternativamente en la pintura y en la venta de periódicos.

CHARLOT, Jean. Pintor, escritor y grabador. Nació en París, 1898. Llega a México, 1921. Por su estímulo se ensayó el grabado en madera. Participa en los primeros trabajos de fresco y encáustica en la Escuela Preparatoria. Importante investigador artístico en la Expedición Arqueológica "Carnegie" en Chichén-Itzá, 1926-29. Reside desde 1929 en Estados Unidos. (Lám. 145.)

CHAVEZ MORADO, José. Pintor y grabador. Nació en Silao, 1909. Estudió grabado en madera con Díaz de León en la Escuela de Bellas Artes. Miembro de la LEAR. Jefe de la Sección de Artes Plásticas de la Secretaría de Educación Pública. Ha pintado frescos en Jalapa, Veracruz y en la Escuela de Bellas Artes de San Miguel de Allende, donde es profesor. Actualmente es miembro del Taller de Gráfica Popular. (Lám. 147.)

CLAUSELL, Joaquín. Paisajista. Nació en Campeche, 1885. Murió accidentalmente cerca de Cuernavaca, Morelos, 1936. Estudió pintura por sí mismo. Estuvo varios años en París, desde 1900. De regreso a México, alternó su profesión de pintor con su carrera de abogado. Fué director de la Escuela de Pintura al Aire Libre de Ixtacalco.

CLAVE, Pelegrín. Pintor y profesor de arte. Nació en Barcelona, España, 1810. Murió en Barcelona, 1880. Estudió en España y trabajó en Italia. En 1847, asumió la Dirección de la Academia de San Carlos, organizando los sistemas existentes, aunque con un sentido europeo.

COVARRUBIAS, Miguel. Pintor, caricaturista, ilustrador y escritor. Nació en México, D. F., 1904. Fué a Nueva York pensionado por el Gobierno Mexicano, 1923. Adquirió una gran reputación como caricaturista. Viajó en Europa, Africa, Estados Unidos y Oriente. Su estilo característico y punzante es conocido internacionalmente a través de libros y revistas. (Lám. 127.)

COVARRUBIAS, Rosa. Véase ROLANDO.

DE LA CUEVA, Amado. Pintor. Nació en Guadalajara, Jalisco, 1891. Murió en Guadalajara, 1926. Estudió en la Escuela de Bellas Artes, México, D. F. Trabajó en Europa, pensionado por el Gobierno de Jalisco. Pintó dos frescos en la Secretaría de Educación, 1923-26. En 1925, pintó con Siqueiros los frescos de la vieja Universidad de Guadalajara.

DE LA PAZ PEREZ, Gonzalo. Pintor y grabador. Nació en México, D. F., 1917. Estudió en la Escuela de Bellas Artes, México, D. F., 1922. Fué ayudante de Fernando Leal en el Centro Popular de Pintura de Nonoalco, 1927-35. Fué miembro de la LEAR y ahora del Taller de Gráfica Popular.

DIAZ DE LEON, Francisco. Pintor, grabador y tipógrafo. Nació en Aguascalientes, 1897. Estudió en la Escuela de Bellas Artes, 1917, de la cual fué después profesor y director. Fundó y dirigió la Escuela al Aire Libre de Tlalpan. Desde 1922, se dedica apasionadamente al grabado en todas sus formas y a la tipografía. Director, con Fernández Ledesma, de la "Sala de Arte," 1931-1933. Actualmente director de la Escuela de las Artes del Libro. (Lám. 148.)

DOSAMANTES, Francisco. Pintor y litógrafo. Nació en México, D. F., 1911. Estudió en la Escuela de Bellas Artes, México D. F. Fué maestro de Artes Plásticas en las "Misiones Culturales." Miembro de la LEAR y del Taller de Gráfica Popular. (Lám. 150.)

ELIZONDO, Fidias. Escultor. Nació en Monterrey, Nuevo León, 1892. Estudió en la Escuela de Bellas Artes, México, D. F., 1909. Trabajó en París, 1913.

ENCISO, Jorge. Pintor. Nació en Guadalajara, Jalisco, 1879. Viajó por Europa. A su regreso, fué profesor de Artes Decorativas desde 1916, por varios años, en la Escuela de Bellas Artes, México, D. F. Actualmente es Jefe del Departamento de Monumentos Coloniales.

ESCALANTE, Constantino. Dibujante litógrafo del siglo XIX. Murió en México, D. F., 1868. Publicó mordaces caricaturas políticas en "La Patria" y en compañía de Hernández trabajó para "La Orquesta." (Lám. 140.)

ESCOBEDO, Jesús. Pintor y litógrafo. Nació en Michoacán, 1917. Estudió en el Centro Popular de Pintura como discípulo de Fernández Ledesma, 1928-32. Colaboró en "Palomilla," periódico infantil de la Secretaría de Educación. Miembro de la LEAR y del Taller de Gráfica Popular.

ESCOBEDO, José. Pintor. Nació en Aguascalientes, 1898. Murió en Aguascalientes, 1916. Llegó a la Academia de San Carlos, 1911. Asistió después a la Escuela de Pintura al Aire Libre de Santa Anita, 1913. De 1913 a 1915, estuvo en la Revolución con el General Diéguez, en la campaña de Occidente. De regreso a Aguascalientes, fundó con Fernández Ledesma y Díaz de León, el "Círculo de Artistas Independientes."

ESTRADA, José María. Pintor jaliciense del siglo XIX. Discípulo de José María Uriarte. Vivió en Guadalajara, Jalisco, en donde pintó gran cantidad de retratos de penetrante psicología y encantador ambiente provinciano. Sus trabajos están fechados de 1830 a 1860. (Lám. 109.)

FABRES, Antonio. Pintor y dibujante. Nació en Barcelona, España. Llegó a México en 1903, como director de la Academia de San Carlos.

FERNANDEZ, Miguel Angel. Pintor. Nació en México, D. F., 1890. Estudió en la Academia de Bellas Artes, México, D. F., y en la Escuela al Aire Libre de Santa Anita, como discípulo de Ramos Martínez, 1913. Fué a la Revolución con Atl, Orozco, Cabildo, Bolaños, Guillemín y otros artistas, en Orizaba, 1914. Con José del Pozo, fundó la Escuela de Bellas Artes de Mérida, Yucatán, 1916. Desde entonces se dedica a la Arqueología y participa en varias expediciones. Actualmente es Jefe del Departamento de Arqueología del Museo Nacional.

FERNANDEZ LEDESMA, Gabriel. Pintor, editor y grabador. Nació en Aguascalientes, 1900. Estudió en la Escuela de Bellas Artes, México, D. F. Director del Centro Popular de Pintura y de la "Sala de Arte" de la Secretaría de Educación. Ha organizado exposiciones de Arte Mexicano en Sevilla, Madrid y París. Dirigió el Centro Popular de Pintura de San Antonio Abad, 1928-32. Con Díaz de León, fundó y dirigió la "Sala de Arte," 1931-33. En la actualidad se ocupa en ediciones de arte y en escenografías. Editó y dirigió "Forma," Revista de Artes Plásticas. (Lám. 129.)

FONSECA, Apolinar. Pintor. Trabajó en Guanajuato a mediados del siglo XIX. (Lám. 110.)

GAMBOA, Fernando. Pintor. Estudió en la Escuela de Bellas Artes, México, D. F., 1930. Fué miembro activo de la LEAR y editor de "Frente a Frente." En 1938, asistió al Congreso Internacional de Escritores, celebrado en la República Española. Actualmente está en París, trabajando para los refugiados españoles.

GAONA. Véase "PICHETA."

GARCIA CABRAL, Ernesto. Caricaturista. Nació en Huatusco, Veracruz, 1891. Estudió en la Academia de San Carlos, donde fué uno de los huelguistas, 1911. Principal colaborador de "Multicolor," semanario que satirizó irresponsablemente por varios años, a Madero. Pensionado por el Presidente liberal que reconoció el talento del caricaturista, fué a estudiar a París. Ha visitado varias veces los Estados Unidos. Colabora en las revistas y periódicos de México.

GARCIA CAHERO, Emilio. Pintor, fresquista, dibujante y grabador. De padres españoles. Nació en Veracruz. Murió en México, D. F., 1939. Estudió en la Escuela de Pintura de Santa Anita, 1913, y en la de Chimalixtac, 1920. Fué a la Revolución con el grupo de pintores que salieron con Atl. Profesor de dibujo en la Escuela de Bellas Artes, 1921-25. Estuvo en San Antonio, Texas, de 1929 a 1935 y pintó allí dos frescos para la Escuela de Ingenieros Constructores. Regresó a México.

GOITIA, Francisco. Pintor, dibujante y maestro. Nació en Fresnillo, Zacatecas, 1884. Estudió en la Academia de San Carlos. Trabajó en Europa, 1904 12. Combatió en la Revolución, en las filas del General Angeles. Estudió plásticamente las regiones arqueológicas de Teotihuacán y el valle de Oaxaca. Su obra tiene un profundo sentido humano. (Lám. de color, p. 161.)

GONZALEZ CAMARENA, Jorge. Pintor. Nació en Guadalajara, Jalisco, 1908. Estudió en la Escuela de Bellas Artes, México, D. F., 1933. Pintó durante tres años, recluído en una celda del convento de Huejotzingo, Puebla. Fué profesor de dibujo decorativo para encuadernación, en el Colegio de las Vizcaínas. Actualmente trabaja en Arte Publicitario.

GUERRERO, Xavier. Pintor. Nació en San Pedro de las Colonias, Coahuila, 1896. Se inició en la pintura con su padre, que era decorador. Fundador con Siqueiros y Rivera de "El Machete", 1922. Decoró en Guadalajara la casa de Zuno, 1925. Restauró el oficio del fresco y colaboró con Rivera en los primeros murales de la Secretaría de Educación. Desde 1926, se desplazó al trabajo de vanguardia política.

GUERRERO GALVAN, Jesús. Pintor y litógrafo. Nació en Tonalá, Jalisco, 1910. Trabajó pintando rótulos en San Antonio, Texas. En 1922 estudió pintura en Guadalajara con Vizcarra. Llegó a México, 1925. Fué profesor de dibujo de las escuelas primarias, en una de las cuales pintó un fresco. (Lám. 131.)

GUTIERREZ, Francisco. Pintor, dibujante y litógrafo. Nació en Oaxaca, Oaxaca, 1915. Llegó a México y trabajó en un taller comercial de litografía, durante siete años, adquiriendo por tal razón un excelente oficio. Estudió en la Escuela de Bellas Artes, México, D. F., 1929. Actualmente es profesor de Artes Plásticas.

HERNANDEZ, Santiago. Caricaturista, litógrafo y político. Nació en 1833. Murió en México, D. F., 1908. Orador popular y panfletista político. Tomó las armas contra la invasión de 1847. Es famoso por sus litografías satíricas en "La Orquesta," "El Rascatripas," "El Máscara," "El Ahuizote," etc.

IRIARTE, Hesiquio. Dibujante y litógrafo político del siglo XIX. Trabajó para la Editorial Murguía, en México, D. F. Ilustró varios libros y periódicos y, en 1854, estableció su propio taller de litografía.

IZQUIERDO, María. Pintora. Nació en San Juan de los Lagos, Jalisco, 1906. Estudió en la Escuela de Bellas Artes, México, D. F., como discípula de Tamayo. (Lám. 130.)

KAHLO, Frida. Pintora. Nació en Coyoacán, D. F., 1910. Trabajó en Europa y Estados Unidos. Comenzó a pintar en 1927. Su obra de fina sensibilidad, mezcla elementos expresionistas y surrealistas. (Lám. 125.)

KITAGAWA, Tamiji. Pintor y grabador. Nació en el Japón, 1894. Estudió en París. Viajó por Francia, Estados Unidos y Cuba. Llegó a México y fué ayudante de la Escuela de Pintura al Aire Libre de Tlalpan, algún tiempo después de su fundación, 1926. En 1931 dirigió la Escuela de Pintura de Taxco, Guerrero. Actualmente vive en el Japón.

LAGUELLE, E. Pintor popular del siglo XIX. Datos desconocidos. (Lám. 112.)

LAZO, Agustín. Pintor y escenógrafo. Nació en México, D. F., 1900. Estudió en la Escuela de Bellas Artes, México, D. F. Trabajó en Francia, Bélgica e Italia. En los intentos de teatro nuevo en México, mucho le debe a Lazo la escenografía. (Lám. 128.)

LEAL, Fernando. Pintor, grabador y pintor de fresco. Nació en México, D. F., 1900. Estudió en la Escuela al Aire Libre de Santa Anita y de Chimalixtac, 1920. Grabó madera con Charlot, 1921. Ha pintado encáustica y fresco en la Escuela Preparatoria, Salubridad, y en otros edificios, México, D. F.

MAGAÑA, Mardonio. Escultor. Nació en La Piedad de Cabadas, Michoacán, 1863. Comenzó a trabajar en la Escuela de Pintura al Aire Libre, Churubusco, 1925. Más tarde fué profesor de escultura en la Escuela de Talla Directa. Su trabajo en piedra y en madera, interpreta tipos campesinos. (Lám. 151.)

MANILLA, Manuel. Grabador. Nació en México, D. F. Murió en México, D. F., 1895. Contemporáneo de Posada y primer grabador de la Editorial Vanegas Arroyo. Produjo cerca de 500 planchas para ilustrar las ediciones populares.

MENDEZ, Leopoldo. Grabador. Nació en México, D. F., 1903. Estudió en la Escuela de Bellas Artes, México, D. F., 1917. Sus grabados en madera han ilustrado muchos periódicos, libros y panfletos. Su obra inspirada en la justicia social, recoge la tradición de Posada y registra voces de protesta e ironía. En compañía de Zalce, ha pintado al fresco en los Talleres Gráficos de la Nación. (Láms. 143, 144.)

MENDOZA, Francisco de P. Pintor de batallas de fines del siglo XIX. Nació en Saltillo, Coahuila, 1867. Murió en México, D. F., 1937. Estudió en Europa, pensionado por el Gobierno de su Estado. Regresó a México, 1892, siendo al mismo tiempo, profesor de la Academia de San Carlos y del Colegio Militar. (Lám. 111.)

MERIDA, Carlos. Pintor. Nació en Guatemala, 1893. Estudió en París con Anglada y Modigliani. Volvió a Guatemala, 1919, donde ensayó un tipo de pintura americana, basada en elementos folklóricos. Decoró la Biblioteca Infantil de la Secretaría de Educación, 1921. Su pintura actual pone en juego elementos abstractos y surrealistas interpretando la antigua tradición americana. (Lám. 121.)

MEZA, Guillermo. Pintor. Nació en Ixtapalapa, D. F., 1917. Se inició en una escuela nocturna de Arte para trabajadores. Uno de los más claros talentos entre los artistas de la nueva generación. (Lám. 133.)

MONTENEGRO, Roberto. Pintor, editor, ilustrador, escenógrafo, fresquista y grabador. Nació en Guadalajara, Jalisco, 1885. Estudió en la Academia de San Carlos, México, D. F. Trabajó en Europa. Organizó el Museo de Artes Populares en México, D. F., 1934. Ha pintado varios frescos. (Lám. 120.)

OCAMPO, Isidoro. Pintor y grabador. Nació en Veracruz, 1910. Estudió en la Escuela de Bellas Artes, México, D. F., y fué después auxiliar del Taller de Artes del Libro, que dirigía Díaz de León, 1931. Trabajó para la Editorial Cultura. Fué miembro de la LEAR y lo es ahora, del Taller de Gráfica Popular.

O'GORMAN, Juan. Arquitecto y pintor. Nació en Coyoacán, D. F., 1905. Ha construído varias escuelas de "arquitectura funcional" para la Secretaría de Educación, 1932. Decoró al fresco el Aeropuerto Central de México, 1938. Recientemente ha sido comisionado para pintar un fresco en Pittsburgh.

O'HIGGINS, Pablo. Pintor, fresquista y litógrafo. Nació en San Francisco, California, 1905. Reside en México desde 1927. Ayudante de Rivera en Chapingo y en la Secretaría de Educación Pública. Pasó un año en la U.R.S.S. disfrutando una pensión del Soviet. Ha pintado en México varios frescos. Fué miembro de la LEAR y actualmente trabaja en el Taller de Gráfica Popular.

OROZCO, José Clemente. Pintor, litógrafo y fresquista. Nació en Zapotlán, Jalisco, 1883. Estudió agricultura y dibujo arquitectónico, 1900-04. Comenzó a pintar en 1909. Sus cuadros y dibujos entre 1910-17 representan escenas de la Revolución y de la vida sórdida del pueblo. En California, 1917-22, trabajó como pintor y fotógrafo. Pintó frescos en la "Casa de los Azulejos" y en la Escuela Preparatoria, México, D. F., y en la Escuela Industrial de Orizaba, Veracruz, 1922-27. De 1927 a 1932 ejecutó los frescos de Claremont, Nueva York y Hanover, E.U.A. Viajó por Europa en 1932. Volvió a México, 1934, y pintó los frescos del Palacio de Bellas Artes, México, D. F., de la Universidad, el Palacio de Gobierno y Hospicio, Guadalajara. Actualmente trabaja en un fresco para la Biblioteca Pública de Jiquilpan, Michoacán. (Láms. 118, 119; lám. de color, p. 176.)

ORTIZ MONASTERIO, Luis. Escultor. Nació en México, D. F., 1906. Estudió en la Escuela de Bellas Artes, México, D. F. Expuso en San Francisco y Los Angeles, California, acuarelas y tallados en madera. Ha tallado directamente en piedra esculturas monumentales aprovechando la tradición plástica azteca con un inteligente sentido moderno. (Lám. 152.)

PACHECO, Máximo. Dibujante, pintor y fresquista. Nació en Huichapan, Hidalgo, 1907. Comenzó trabajando como albañil. Fué después ayudante para los aplanados del fresco, de Revueltas y Rivera, 1921-26, México, D. F. Fué miembro del Sindicato de Pintores. (Lám. 136.)

PARRA, Félix. Pintor. Nació en Morelia, Michoacán, 1845. Murió en México, D. F., 1919. Fué discípulo de Rebull. Visitó Europa en 1878. En 1882 fué profesor de la Academia de San Carlos. (Lám. 114.)

PEÑA, Feliciano. Pintor y grabador. Nació en Tlalpan, D. F., 1914. Concurrió a la Escuela de Pintura al Aire Libre de Tlalpan bajo la dirección de Díaz de León y Kitagawa. Ha pintado frescos en Jalapa, Veracruz. Miembro de la LEAR. Actualmente es profesor de la Sección de Artes Plásticas.

"PICHETA." Grabador en madera e ilustrador del siglo XIX. Trabajó en Mérida, Yucatán, en el periódico "Don Bullé Bulle," 1841.

POSADA, José Guadalupe. Grabador, caricaturista político e ilustrador. Nació en Aguascalientes, 1851. Murió en México, D. F., 1913. En 1887 comenzó a trabajar en la Capital, para la Editorial Vanegas Arroyo. Colaboró en los periódicos de oposición al régimen porfirista, "Argos," "La Patria," "El Ahuizote," etc., y en el almanaque anticlerical "El Padre Cobos." Sus agresivas caricaturas y los innumerables grabados que desde fines del siglo XIX, ilustraron los "corridos," los "ejemplos," y las "calaveras," traducen la fantasía y el humorismo del pueblo mexicano. (Láms. 141, 142.)

PUJOL, Antonio. Pintor, fresquista y litógrafo. Nació en Cuautzingo, México, 1914. Estudió en la Escuela de Bellas Artes, México, D. F., como discípulo de Tamayo y Mérida. Pintó al fresco en el Mercado "Abelardo Rodríguez," México, D. F., 1934. Visitó Nueva York, 1936. Fué soldado voluntario del Ejército Español Republicano hasta el fin de la guerra. Miembro de la LEAR y del Taller de Gráfica Popular. Actualmente, ayudante de Siqueiros en la decoración mural para el Sindicato de Electricistas.

RAMIREZ, Everardo. Pintor y grabador. Nació en Coyoacán, D. F. Asistió a la Escuela de Pintura al Aire Libre de Churubusco bajo la dirección de Ramos Martínez, 1925. Fué ayudante de Fernández Ledesma en el Centro Popular de Pintura de San Antonio Abad. Miembro de la LEAR y del Taller de Gráfica Popular. Actualmente profesor de Artes Plásticas.

RAMOS MARTINEZ, Alfredo. Pintor y maestro. Nació en Monterrey, Nuevo León, 1875. Estudió con Rebull en la Academia de San Carlos. Fué pensionado a París en 1900 y llega a ser un devoto del impresionismo. Vuelve a México; 1913, como director de la Academia Nacional de Bellas Artes. Establece la primera "Escuela de Pintura al Aire Libre" en Santa Anita, Actualmente vive en Los Angeles, California.

REBULL, Santiago. Pintor. Nació en un barco en que sus padres hacían viaje a España, 1892. Murió en México, D. F., 1902. Llegó a México y fué discípulo de Pelegrín Clavé. Obtuvo el "Premio de Roma," 1852. Volvió a México, 1859, como profesor de la Academia de San Carlos. Fué director de la misma por acuerdo de Juárez, 1861. Maximiliano le condecoró con la "Orden de Guadalupe."

REVUELTAS, Fermín. Pintor, ilustrador y fresquista. Nació en Santiago Papasquiaro, Durango, 1903. Murió en México, D. F., 1935. Uno de los primeros artistas comisionados a la pintura mural, por Vasconcelos, 1921. Ejecutó una encáustica en la Escuela Preparatoria y varios frescos en diversos edificios. Miembro del "30-30" y profesor de la Sección de Artes Plásticas.

RINCON, Abundio. Pintor jalisciense del siglo XIX. Trabajó en Guadalajara. Fué contemporáneo de José María Estrada.

RIVERA, Diego María. Pintor, dibujante, ilustrador, escritor y fresquista. Nació en Guanajuato, 1886. Estudió en la Escuela Nacional de Bellas Artes con Parra, Fabrés, Rebull y Velasco. En 1907, estudió en España, con Chicharro. De 1908 a 1910, trabajó en Francia, Bélgica, Holanda e Inglaterra. Después de una breve estancia en México, regresó a París, relacionándose con Derain, Braque, Klee, Picasso y Gris. Fué a Italia en 1920-21. Volvió a México en 1921. Fué miembro del Sindicato de Pintores y ejecutó la encáustica del anfiteatro de la Preparatoria. Decoró con frescos los tres pisos de la Secretaría de Educación Pública, la escalera y la biblioteca de Chapingo y el corredor posterior del Palacio de Gobierno en Cuernavaca, 1923-30. Fué a la U.R.S.S., 1927. Director de la Escuela Central de Artes Plásticas, 1929. Pintó frescos en San Francisco, California, 1930-31; Detroit, 1932; New York, 1933-34. La réplica del fresco del Centro Rockefeller, en el Palacio de Bellas Artes de México, D. F., 1934. Desde su llegada a México ha tenido la preocupación constante de la política nacional e internacional. Actualmente se dedica a la pintura de caballete. (Lám. 117; lám. de color, p. 173.)

RODRIGUEZ LOZANO, Manuel. Pintor y dibujante. Nació en México, D. F., 1896. Trabajó en Europa, Sudamérica y Estados Unidos. En México ha trabajado aislado. Se le ha considerado como un exponente del "purismo" en el movimiento moderno mexicano. Actualmente director de la Escuela de Artes Plásticas. (Lám. 122.)

ROLANDO, Rosa. Pintora y fotógrafo. Nació en Los Angeles, California. Comenzó a pintar en París, 1927.

ROMANO GUILLEMIN, Francisco. Pintor. Nació en Tlapa, Guerrero, 1884. Estudió en la Academia de San Carlos como discípulo de Fabrés y Gedovius. Partió a la Revolución, 1914. Fué profesor de la Escuela de Bellas Artes. Visitó París, 1934.

ROMERO, Carlos O. Pintor. Nació en Guadalajara, Jalisco, 1898. Comenzó como caricaturista, 1918. Estuvo en Francia y España, 1921. En 1928, fundó y dirigió con Carlos Mérida, la Galería de Arte Moderno Mexicano. (Lám. 126.)

ROMO, Alfredo. Pintor y caricaturista. Nació en Jamay, Jalisco, 1893. Formó parte del "Centro de Artistas" de Guadalajara, 1913. Colaboró en periódicos y revistas con sus caricaturas. Dejó la pintura para dedicarse a actividades políticas.

RUELAS, Julio. Pintor, dibujante y aquafortista. Nació en Zacatecas, 1870. Murió en París, 1907. Estudió en la Academia de San Carlos y más tarde en la Universidad de Karlsruhe, Baden, Alemania. Fué importante colaborador de la "Revista Moderna," México, D. F.

RUIZ, Antonio. Pintor, dibujante y escenógrafo. Nació en México, D. F., 1897. Estudió en la Escuela de Bellas Artes, México, D. F. Estuvo en California, 1926. Proyectó escenarios para la "Universal Pictures." Volvió a México, 1929. Ha ejecutado varios proyectos para teatro infantil. Recientemente ha decorado el ballet "Don Lindo de Almería," de Bergamín, Hafter y Ana Sokoloff, México, D. F., 1940. (Lám. de color, p. 172.)

RUIZ, Guillermo. Escultor. Nació en el Mineral de Catorce, San Luis Potosí, 1896. Estudió en la Escuela de Bellas Artes, México, D. F., 1918. Fué comisionado a Madrid, 1929, y estudió con Decreft y Mateo Hernández. Desde 1927 es director de la Escuela de Talla Directa.

SILVA, Vandeira. Pintor de fines del siglo XIX. Fué profesor de dibujo de la Academia de San Carlos, entre 1890 y 1900.

SORIANO, Juan. Pintor y dibujante. Nació en Guadalajara, Jalisco, 1920. Ha estudiado solo. Es una de las promesas de la más joven generación.

TAMAYO, Rufino. Pintor y fresquista. Nació en Oaxaca, 1899. Estudió en la Escuela de Bellas Artes, México, D. F., 1917. Ha hecho varios experimentos relativos a la expresión de "forma," absorbiendo influencias del cubismo en su última etapa, de los dibujos de niños y del arte popular mexicano. Fué profesor en la Escuela de Bellas Artes, 1928-1930, y Jefe de la Sección de Artes Plásticas de la Secretaría de Educación Pública. Ha pintado frescos en el Conservatorio Nacional de Música y en el Museo Nacional. (Lám. de color, p. 168.)

TEBO. Pintor y dibujante. Nació en México, D. F., 1916. Estudió con Rodríguez Lozano. (Lám. 135.)

TELLEZ TOLEDO, Juan. Pintor. Nació en Sevilla, 1883. Murió demente en México, D. F., 1930. Llegó a México niño. Estudió en la Academia de San Carlos. Volvió a Sevilla, 1889. Regresó a México, 1904. Estuvo en París, 1905, y en Nueva York, 1910, donde perdió la razón. Pintó magníficos retratos, envueltos en una atmósfera plateada, hasta que fué internado en el sanatorio de "La Castañeda." (Lám. 115.)

URIARTE, José María. Pintor y miniaturista del siglo XIX. Maestro de José María Estrada. Fué director de la Escuela de Bellas Artes de Guadalajara, Jalisco.

VELASCO, José María. Paisajista del siglo XIX. Nació en Temazcaltzingo, México, 1840. Murió en la Villa de Guadalupe, D. F., 1912. En la Academia de San Carlos fué discípulo de Clavé y del paisajista Landesio. En 1868, fué profesor de dicha Institución. Además de sus paisajes, hizo numerosas litografías a color de la flora de México. Trabajó en Europa y Estados Unidos. (Lám. 113.)

VERA DE CORDOVA, Rafael. Pintor paisajista. Nació en Almolonga, Veracruz. Murió trágicamente en México, D. F. Fué a la Revolución cuando se inició el movimiento maderista. Estudió en la Escuela de Pintura de Coyoacán. Dirigió la Escuela al Aire Libre, de Xochimilco, D. F.

VILLASANA, S. M. Dibujante, litógrafo y caricaturista político del siglo XIX. Ilustró la primera edición de "La Linterna Mágica," 1871. Trabajó para "El Cómico," y "La Historia Danzante," 1873.

VILLASEÑOR, Isabel. Dibujante y grabadora. Nació en Guadalajara, Jalisco, 1912. Estudió en el Centro Popular de Pintura de San Antonio Abad, 1928. Miembro de la LEAR y las "Brigadas Culturales."

ZALCE, Alfredo. Pintor, fresquista y litógrafo. Nació en Pátzcuaro, Michoacán, 1908. Estudió en la Escuela de Bellas Artes, México, D. F., y en la Escuela de Escultura y Talla Directa, México, D. F. Pintó al cemento, el exterior de la Escuela de Ayotla, Estado de México, 1931, y al fresco la Escuela "Dr. Balmis" y los Talleres Gráficos de la Nación. Fué inspector de Artes Plásticas y maestro misionero. Fué miembro de la LEAR y actualmente lo es del Taller de Gráfica Popular. (Lám. 132.)

ZUNO, José Guadalupe. Pintor y caricaturista. Nació en Jamay, Jalisco, 1891. En 1909 colaboró en "El Perico," periódico de caricaturas de Guadalajara. En 1913 se dedicó por completo a la pintura y fué el fundador del "Centro de Artistas." Poco después se dedicó a la política, actividad que le ocupa hasta ahora, y en la que ha obtenido altos puestos.

BIBLIOGRAPHY

BIBLIOGRAFIA

Pre-Spanish Art.   Arte Precortesiano.

1. CASO, Alfonso. Trece obras maestras de la arqueología mexicana. México, D. F., Editoriales Cultura y Polis, 1938.
2. Escultura mexicana antigua. México, D. F., Palacio de Bellas Artes, Secretaría de Educación Pública, 1934.
3. GUZMAN, Eulalia. Caracteres esenciales del arte mexicano, su sentido fundamental. Revista Universidad de México. Tomo V, Nos. 27 y 28, Enero-Febrero, 1933.
4. JOYCE, Thomas A. Maya and Mexican art. The Study (London), 1927.
5. Monumentos arqueológicos de México. México, D. F., Dirección de Monumentos prehistóricos, Secretaría de Educación Pública, 1933.
6. SAVILLE, M. H. The goldsmith's art in ancient Mexico. (Indian notes and monographs.) New York, Museum of the American Indian, Heye Foundation, 1920.
7. —— Turquoise mosaic art in ancient Mexico. Contributions, vol. 6. New York. Museum of the American Indian, Heye Foundation, 1922.
8. —— The woodcarver's art in ancient Mexico. Contributions, vol. 9. New York, Museum of the American Indian, Heye Foundation, 1925.
9. SPINDEN, Herbert J. A study of Maya art. Memoirs Peabody Museum, vol. 6. Cambridge, 1913.
10. THOMPSON, J. Eric. Mexico before Cortez. New York-London, Scribners, 1934.
11. VAILLANT, George C. Artists and craftsmen of ancient Central America, New York, American Museum of Natural History, 1935.

General Sources.   Fuentes Generales.

12. REVILLA, Manuel G. El arte en México. 2a. ed. México, D. F., Porrúa Hermanos, 1923.
13. RICARD, Robert. La "conquête spirituelle" du Mexique. Paris, 1933.

14. ROMERO DE TERREROS, Manuel. Historia sintética del arte colonial. México, D. F., Porrúa Hermanos, 1922.

Architecture.   Arquitectura.

15. ANGULO, Diego Planos de monumentos arquitectónicos de América y Filipinas. Sevilla, 1933-39.
16. BAXTER, Sylvester. Spanish-colonial architecture in Mexico. Boston, J. B. Millet, 1901.
17. —— Arquitectura hispano-colonial en México. (Traducción y notas de Manuel Toussaint.) México, D. F., 1934.
18. GARCIA GRANADOS, Rafael. Capillas de indios en Nueva España. Archivo español de arte y arqueología, No. 31. Madrid, 1935.
19. MacGREGOR, Luis. Cien ejemplares de plateresco mexicano. Archivo español de arte y arqueología, No. 31. Madrid, 1935.
20. MARISCAL, Federico. La patria y la agricultura nacional. México, D. F., Universidad Popular Mexicana, 1915.
21. TOUSSAINT, Manuel. Arquitectura religiosa de la Nueva España durante el siglo XVI. México, D. F., 1927.
22. —— Supervivientes góticos en la arquitectura mexicana del siglo XVI. Archivo español de arte y arqueología, No. 21. Madrid, 1935.
23. Tres siglos de arquitectura colonial. México, D. F., Dirección de Monumentos Coloniales, Secretaría de Educación Pública, 1933.

Painting.   Pintura.

24. COUTO, Bernardo. Diálogo sobre la historia de la pintura en México. México, D. F., Escalante, 1872.
25. PEREZ SALAZAR, Francisco. Algunos datos para la historia de la pintura en Puebla. Memorias de la Sociedad Científica Antonio Alzate, Tomo 41, Nos. 5 y 6. México, D. F., 1939.

26. TOUSSAINT, Manuel. La pintura en México durante el siglo XVI. México, D. F., 1936.

27. —— Catálogo de pintura. (Sección Colonial.) México, D. F., Museo Nacional de Artes Plásticas, 1934.

28. VELAZQUEZ CHAVEZ, Agustín. Tres siglos de pintura colonial mexicana. México, D. F., Editorial Polis, 1939.

Sculpture.   Escultura.

29. ESCONTRIA, Alfredo. Don Manuel Tolsá. México, D. F., El Progreso, 1929.

30. ROMERO DE TERREROS, Manuel. La escultura colonial en México. México, D. F., 1930.

Industrial Arts.   Artes Industriales.

31. BARBER, Edwin Atlee. The maiolica of Mexico. Philadelphia, 1908.

32. CERVANTES, Enrique A. Loza blanca y azulejo de Puebla. México, D. F., 1939.

33. CORTES, Antonio. Hierros forjados. México, D. F., Secretaría de Educación Pública, 1935.

34. ROMERO DE TERREROS, Manuel. Las artes industriales en la Nueva España. México, D. F., Pedro Robredo, 1923.

Folk Art.   Arte Popular.

35. ATL, Doctor. Las artes populares en México. México, D. F., Secretaría de Industria y Comercio, 1922.

36. BARBER, Edwin Atlee. The maiolica of Mexico. Philadelphia, 1908.

37. —— Mexican maiolica in the collection of the Hispanic Society of America. New York, 1915.

38. CERVANTES, Enrique A. Loza blanca y azulejo de Puebla. México, D. F., 1939.

39. —— Hierros de Oaxaca. México, D. F., Monografías del Gobierno del Estado, 1932.

40. —— Herreros y forjadores poblanos. México, D. F., 1933.

41. CORTES, Antonio. Hierros forjados. México, D. F., Secretaría de Educación Pública, 1935.

42. FERNANDEZ LEDESMA, Gabriel. Juguetes mexicanos. México, D. F., Talleres Gráficos de la Nación, 1930.

43. —— El calzado mexicano. México, D. F., Ediciones Series de Arte, 1933.

44. LEON, Francisco de P. Los esmaltes de Uruapan. México, D. F., D.A.P.P., 1939.

45. MENA, Ramón. El zarape. Anales del Museo Nacional de Arqueología, Historia y Etnografía. T. III, 4a. época. México, D. F., 1925.

46. MONTENEGRO, Roberto. Máscaras mexicanas. México, D. F., 1929.

47. —— Pintura mexicana (1800-1860). México, D. F., 1933.

48. NUÑEZ Y DOMINGUEZ, José de J. El rebozo. México, D. F., Dirección de Bellas Artes, 1918.

49. RINCON GALLARDO, Carlos. El charro mexicano. México, D. F.

50. ROMERO DE TERREROS, Manuel. Las artes industriales en la Nueva España. México, D. F., Pedro Robredo, 1923.

51. TOOR, Frances. Mexican popular arts. México, D. F., Frances Toor Studios, 1939.

52. Abraham Angel. (Monografía.) México, D. F., 1924.

Modern Art.   Arte Moderno.

53. ALFARO SIQUEIROS, David. 13 grabados en madera. (Prefacio de W. Spratling.) Taxco, Guerrero, 1931.

54. —— Vida Americana. (Revista-manifiesto.) Barcelona, 1921.

55. BEST MAUGARD, Adolfo. Tradición, resurgimiento y evolución del arte mexicano. México, D. F., Secretaría de Educación Pública, 1923.

56. BORN, Esther. The new architecture in Mexico. New York, Architectural Record, 1937.

57. BRENNER, Anita. Idols behind altars. New York, Harcourt Brace, 1929.

58. DICKERSON, Albert I. The Orozco frescoes at Dartmouth. Hanover, N. H., 1934.

59. EDWARDS, Emily. Modern Mexican frescoes. (Guide and map.) Mexico, D. F., Central News Agency, 1934.

60. —— Frescoes of Diego Rivera in Cuernavaca. México, D. F., 1932.

61. EVANS, Ernestine. The frescoes of Diego Rivera. New York, Harcourt Brace, 1929.

62. FERNANDEZ, Justino. El arte moderno en México. México, D. F., José Porrúa e hijos, 1937.

63. GALINDO Y VILLA, Jesús. Anales de la Academia Nacional de Bellas Artes. México, D. F., 1913.

64. HALE, Gardner. Fresco painting. (Preface by J. C. Orozco.) New York, 1933.

65. MERIDA, Carlos. Images de Guatemala. (Preface by André Salmon.) Paris, Editions des Quatre Chemins, 1927.

66. Modern Mexican Artists. (Critical notes by Carlos Mérida.) México, D. F., Frances Toor Studios, 1937.

67. Carlos Mérida. (Monograph. Preface by Luis Cardoza y Aragón.) México, D. F., Palacio de Bellas Artes, 1934.

68. Mexican arts. (Catalogue of exhibition organized for and circulated by the American Federation of Arts.) American Federation of Arts, 1930.

69. MONTENEGRO, Roberto. 20 litografías de Taxco. (Preface by Genaro Estrada.) México, D. F., 1930.

70. OROZCO, José Clemente. Pinturas murales en la Universidad de Guadalajara. (Prefacio de Luis Cardoza y Aragón.) México, D. F. 1937.

71. Orozco's frescoes in Guadalajara. (Critical notes by Carlos Mérida.) México, D. F., Frances Toor Studios, 1940.

72. José Clemente Orozco. (Monograph with introduction by Alma Reed.) New York, Delphic Studios, 1932.

73. José Guadalupe Posada. (Monograph with introduction by Diego Rivera; in English and Spanish.) Mexico, D. F., Mexican Folkways, 1930.

74. RIVERA, Diego. Raíces políticas y motivos personales de la controversia Siqueiros-Rivera. (Folleto.) México, D. F., Mundial, 1935.

75. Frescoes of Diego Rivera. New York, Museum of modern Art, 1933.

76. RIVERA, Diego, and WOLFE, Bertram D. Portrait of America. New York, Covici-Friede, 1934.

77. —— Portrait of Mexico. New York, Covici-Friede, 1938.

78. TABLADA, José Juan. Historia del arte en México. México, D. F., 1927.

79. TAMAYO, Rufino. (Monograph with preface by L. Cardoza y Aragón.) México, D. F., Palacio de Bellas Artes, 1934.

80. TIETZE, Hans. José Clemente Orozco as a graphic artist. Vienna, Albertina, 1933.

81. TOUSSAINT, Manuel. La litografía en México en el siglo XIX. México, D. F., 1934.

82. VELAZQUEZ CHAVEZ, Agustín. Contemporary Mexican artists, New York, Covici-Friede, 1937.

83. —— Indice de la pintura mexicana contemporánea. México, D. F. Ediciones Arte Mexicano, 1935.

84. WOLFE, Bertram D. Diego Rivera, his life and times. New York, Alfred A. Knopf, 1939.

Other Sources.   Varios.

85. BRETON, André. Souvenir de Mexique. In Minotaure, Nos. 12-13. Paris, May, 1939.

86. Catálogo de la Galería de Arte de la Universidad de México. México, D. F.

87. Las escuelas de pintura al aire libre. (Monografía.) México, D. F., Secretaría de Educación Pública, 1926.

The following periodicals published in Mexico, D. F., have contained informative articles dealing with modern Mexican art and artists: "El Machete"; "Forma": 1926-28; "Mexican Art & Life": 1938-39, "Mexican "Folkways": 1925-36; "Mexican Life."

Twenty-five thousand copies of this book were printed for the Mexican Government and the Trustees of the Museum of Modern Art by Cia. Litográfica "La Enseñanza Objetiva", S. A. Mexico, D. F., in May 1940

PRE-SPANISH CULTURES OF MEXICO

PRE-HISTORIC HORIZON

HORIZON OF THE BEGINNING OF AGRICULTURE AND POTTERY

HORIZON OF THE HIGH CULTURES, WRITING AND CALENDRICAL SYSTEMS

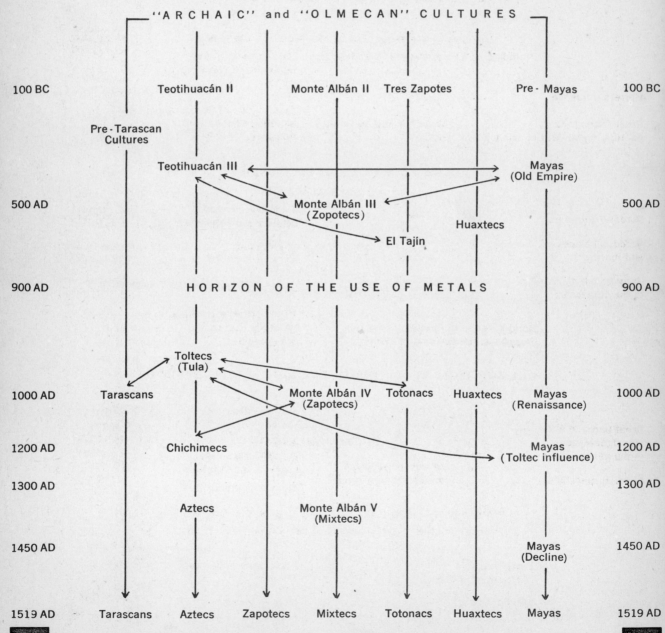

"ARCHAIC" and "OLMECAN" CULTURES